veerpont
de stad
boot van opa

De wonderlijke lotgevallen van Olle en Lena

De wonderlijke lotgevallen van Olle en Lena

Maria Parr

Uit het Noors vertaald door Bernadette Custers

lannoo

www.lannoo.com/kinderboek

Voor het vertalen van dit boek ontving de vertaalster een werkbeurs van het Fonds voor de Letteren.
Deze vertaling is gepubliceerd met de financiële steun van NORLA.

Omslagontwerp Steef Liefting
Illustraties Heleen Brulot
Zetwerk Scriptura

ISBN 978 90 8568 003 1
NUR 282
Derde druk
D/2008/45/391

Inhoud

Het gat in de heg

De eerste middag van de grote vakantie bouwden Lena en ik een kabelbaan tussen onze huizen. Zoals gewoonlijk moest Lena hem als eerste uitproberen. Ze klom dapper in de vensterbank, greep het touw met beide handen beet en slingerde haar twee blote voeten in een knoop eromheen. Het zag er levensgevaarlijk uit. Ik hield mijn adem in terwijl ze zichzelf langs het touw richting haar huis trok, verder en verder weg van het raam. Ze is bijna negen jaar, Lena, klein van stuk en niet zo sterk als leeftijdgenoten. Ongeveer halverwege gleden haar voeten met een roetsj-geluidje van het touw af, en plotseling bungelde ze alleen aan haar handen tussen de twee bovenverdiepingen in. Mijn hart begon als een gek te bonken.
'Hoei!' zei Lena.
'Ga door!' brulde ik.
Het was een stuk makkelijker om vanuit het raam toe te kijken dan om door te gaan, daar kwam ik wel achter.
'Oké, blijf hangen! Ik ga je redden!'
Mijn handen werden zweterig terwijl ik hevig nadacht. Ik hoopte maar dat Lena's handen droog waren. Stel je voor dat ze het houvast verloor en twee verdiepingen naar beneden

donderde! Toen kreeg ik een inval: het matras.

En terwijl Lena zo goed als ze kon bleef hangen, sleurde ik het matras uit het bed van mama en papa, douwde het de gang in, gooide het de trap af, propte het ons gangetje in, deed de buitendeur open, schopte het het trapje af en zeulde het de tuin in. Het was een verschrikkelijk zwaar matras. Onderweg maaide ik een fotolijstje met betovergrootmoeder van de muur zodat het sneuvelde. Maar beter zij aan diggelen dan Lena.

Toen ik eindelijk de tuin in kwam, kon ik aan Lena's grimassen zien dat ze elk moment kon vallen.
'Olle, slomerik!' hijgde ze kwaad. Haar zwarte vlechtjes wapperden in de wind, hoog boven me. Ik deed alsof ik haar niet hoorde. Ze hing pal boven de heg. Ik moest het matras erop zien te leggen. Boven op de heg. Het zou nutteloos zijn om het ergens anders neer te leggen.

En toen kon Lena Lid eindelijk loslaten en uit de hemel komen vallen – als een overrijpe appel. Met een zachte plof landde ze. Onmiddellijk braken er twee struiken in de heg af. Opgelucht zakte ik op het grasveld neer terwijl ik toekeek hoe een razende Lena in de kapotte heg aan het worstelen was met takken en hoeslaken.
'Dat was verdomme jouw schuld, Olle,' zei ze toen ze was opgestaan, zonder één enkel schrammetje.
'Já hoor, mijn schuld,' dacht ik, maar ik zei niets. Ik was blij dat ze nog leefde. Zoals gewoonlijk.

Ollebol en kleintjebuur

We zitten in dezelfde klas, Lena en ik. Lena is het enige meisje. Gelukkig was het nu zomervakantie, anders lag ze te creperen in coma, zoals zij dat noemt.
'Je zou zeker ook liggen te creperen als er niet een matras onder je had gelegen toen je viel,' zei ik later die avond tegen haar, toen we buiten waren en nog eens naar het gat in de heg keken. Dat betwijfelde Lena. Ze had hooguit een hersenschudding gehad, dacht ze, en dat had ze al eens eerder gehad. Twee keer.

Maar ik vraag me toch af wat er was gebeurd als ze naar beneden was gevallen zonder dat daar een matras lag. Het was triest geweest als ze was gecrepeerd. Dan had ik geen Lena meer gehad. Lena is mijn beste vriend, ook al is ze een meisje. Dat heb ik haar nog nooit verteld. Ik durf niet omdat ik niet weet of ik ook wel háár beste vriend ben. Soms denk ik van wel, en soms denk ik van niet. Dat hangt ervan af. Maar ik vraag het me sterk af, vooral wanneer er zulke dingen gebeuren als dat ze van kabelbanen omlaag stort op matrassen die ik daar heb neergelegd; dan wou ik dat ze zei dat ik haar beste vriend was.

Ze hoeft het heus niet hardop te zeggen of zo. Ze zou het een beetje kunnen mompelen. Maar ze doet het nooit. Lena heeft een hart van steen, zo lijkt het, soms.

Verder heeft Lena groene ogen en zeven sproeten op haar neus. Ze is dun. Opa zegt altijd: ze eet als een paard en ziet eruit als een fiets. Iedereen verslaat haar met armpje drukken. Maar dat komt volgens Lena omdat iedereen sjoemelt.

Zelf zie ik er normaal uit volgens mij, met blond haar en met een lachkuiltje in één wang. Alleen mijn naam is abnormaal, en dat kun je van de buitenkant natuurlijk niet zien.
Mama en papa hebben me Olwen Leonard genoemd. Later kregen ze spijt. Het is niet zo best om een kleine baby zo'n grote naam te geven. Maar gebeurd is gebeurd. En nu heet ik al negen jaar Olwen Leonard Danielsen Buitenhof. Dat is een hele tijd. Dat is een leven lang. Iedereen noemt me gelukkig Olle, dus ik zit er niet zo mee, behalve wanneer Lena weer eens vraagt:
'Hoe heette je eigenlijk ook alweer, Olle?'
Dan antwoord ik: 'Olwen Leonard.'
En dan barst Lena in lachen uit. Soms slaat ze zich zelfs op haar dijen.

De heg waarin Lena en ik een gat hebben gemaakt, is de grens tussen onze tuinen. In het kleine, witte huis aan de ene kant woont Lena samen met haar moeder. Ze hebben geen papa daar thuis, ook al vindt Lena dat er plek zat voor eentje zou zijn als ze een beetje opruimen in de kelder. In het grote, oranje huis aan de andere kant woon ik. We hebben drie verdiepingen plus een vliering, want bij mij thuis wonen een hele hoop mensen: mama, papa, Minda (14 jaar), Magnus (13 jaar), Olle (9 jaar) en Krullie (3 jaar). Plus opa in de kelder. Precies genoeg mensen om het in de hand te houden, zegt mama. Wanneer Lena er ook nog bij komt, wordt het een beetje te veel van het goeie en loopt het uit de hand.

Nu vroeg Lena zich af of we niet bij mij thuis konden gaan kijken of iemand toevallig van plan was koffie te gaan drinken, met biscuitjes.

Opa was dat van plan. Hij kwam net op dat moment de keldertrap op voor een bakje koffie. Opa is dun en rimpelig en heeft verlept haar. Hij is de beste volwassene die ik ken. Hij schopte zijn klompen uit en stak zijn handen in de zakken van zijn overall. Hij loopt altijd in een overall rond, mijn opa.
'Nee maar, als dat Ollebol niet is, en onze kleintjebuur,' zei hij terwijl hij een buiginkje maakte. 'We zijn op hetzelfde uit, zo te zien.'

Mama zat in de huiskamer de krant te lezen. Ze had niet in de gaten dat wij binnen waren gekomen. Het is namelijk niets bijzonders dat onze keuken vol zit met Lena en opa, ook al woont geen van tweeën daar. Ze floepen gewoon naar binnen. Lena is zo vaak op bezoek dat ze bijna haar eigen buurmeisje is. Opa pakte een zaklantaarn die op het aanrecht stond en sloop op zijn tenen naar mama.
'Handen omhoog of ik schiet!' riep hij en stak de zaklantaarn als een pistool naar voren. 'Je koffie of je leven, mevrouw Kari!'

'En je biscuitjes!' vulde Lena aan, voor alle zekerheid.
Lena, opa en ik, we krijgen bijna altijd koffie en biscuitjes als we willen. Mama kan geen nee zeggen. In elk geval niet wanneer we het netjes vragen. En in elk geval zeker niet wanneer ze met een zaklantaarn wordt bedreigd en haar leven op het spel staat.

We zijn een mooi clubje bij elkaar, dacht ik, toen we met ons vieren om de keukentafel biscuitjes zaten te eten en lol maakten. Mama was behoorlijk kwaad geweest over onze kabelbaanactie, maar nu was ze weer goedgemutst, en plotseling vroeg ze of Lena en ik ons erop verheugden om op midzomerdag het bruidspaar te zijn.
'Dit jaar alweer? Ben je van plan om ons te laten trouwen tot we erbij neervallen soms?' vroeg Lena bijna schreeuwend.
Nee, mama was helemaal niet van plan om ons te laten trouwen tot we erbij neervielen, verklaarde ze, maar Lena onderbrak haar en zei dat dat zo wel zou gaan gebeuren.
'Olle en ik zijn al getrouwd genoeg! We weigeren,' stelde ze plotseling vast, zonder het mij eerst te vragen. Maar dat was oké. Ik kon best weigeren. Lena en ik moeten ons altijd al als midzomerbruidspaar verkleden.
'Het gaat niet, mama,' zei ik. 'Kunnen we niet iets anders doen?'
Mama kreeg niet de kans om nog iets te zeggen voor Lena met veel tamtam voorstelde dat ik en zij de heks konden maken. Ik kreeg bijna een hartverzakking. Maar toen werd ik blij. Minda en Magnus maken elk jaar de midzomerheks. Het was niet meer dan rechtvaardig dat Lena en ik het eens een keer mochten proberen. Lena bad en smeekte en schudde mama's hand terwijl ze op en neer sprong.

'Laat Ollebol en onze kleintjebuur de heks maar maken. Het bruidspaar, daar vinden we nog wel wat op,' zei opa.

Zo kwam het dat Lena en ik onze eerste heksenmaakopdracht kregen. Het zit er dik in dat het ook de laatste wordt.

Een heks blussen

We wonen in een baai die Knal-Mathilde wordt genoemd, Lena en ik. Opa zegt dat Knal-Mathilde een koninkrijk is. Hij vertelt vaak sterke verhalen, mijn opa, maar ik wil graag geloven dat hij gelijk heeft en dat Knal-Mathilde een koninkrijk is, óns koninkrijk. Tussen onze huizen en de zee liggen grote velden, en er loopt een grindpaadje omlaag naar het strand. Langs dat weggetje groeien lijsterbesbomen waarin je kunt klauteren als het waait. Elke ochtend wanneer ik opsta, kijk ik uit mijn raam naar de zee en naar de lucht. Als het flink waait, slaan de golven over de pier heen en klotst het water tot ver op de velden. En als het niet waait, ziet de zee eruit als een gigantische modderplas. Als je wat beter kijkt, zie je dat de zee elke dag een andere blauwe kleur heeft. Ik kijk ook altijd naar opa's boot, dat gaat in één moeite door. Hij staat elke dag om vijf uur op om te gaan vissen. Vlak boven ons huis ligt de grote weg. En boven die weg liggen heuvels waar je 's winters met je sleetje van af kunt rijden en skiën. Op een dag maakten Lena en ik een bult van sneeuw, want Lena wilde wel eens proberen om met sleetje en al de grote weg over te vliegen. Ze landde midden op de weg en deed haar achterwerk zo'n pijn dat ze twee dagen op haar buik moest liggen. Er kwam ook nog een auto aan die keihard moest remmen voordat we haar in de greppel gerold kregen. Op de top van de heuvels, hoog, heel hoog, ligt de boerderij van Jon van de Heuvel, bijgenaamd Heuvel-Jon. Hij is opa's beste vriend. Nog hoger liggen de bergen. En als je op de top van de bergen komt, zie je onze kleine hut. Het duurt twee uur om daarnaartoe te lopen.

Lena en ik weten alles wat er te weten valt over Knal-Mathilde. En nog veel meer. Dus nu wisten we precies waar we moesten zoeken wat we nodig hadden voor de heks.

Wat een geluk dat opa ons heeft geleerd om echte zeemansknopen te maken. Dat konden Lena en ik nu net goed gebruiken, ook al hadden we plechtig beloofd om geen kabelbanen meer te maken. Lena maakte een dubbele halve steek, en niet zo'n kleintje ook, om onze heks bij elkaar te houden. Als Lena eenmaal op dreef is, gaat ze als een tierelier. Toch hadden we massa's tijd nodig om het hooi niet te laten uitpuilen uit de oude vodden die we eromheen hadden gedraaid. De heks werd vrij slap, want het was niet makkelijk om haar strak rechtop te houden. Ze was even groot als Lena en ik. En griezelig, reken maar! We deden een paar stappen achteruit en hielden ons hoofd schuin.
'Prachtig,' zei Lena en glimlachte tevreden.

Net toen we de heks in de oude stal wilden leggen, kwam Magnus aanlopen.
'Hebben jullie een vogelverschrikker gemaakt?' vroeg hij.
'Het is een heks,' legde ik uit.

Magnus begon te lachen.
'Dat daar? Dat is de krakkemikkigste heks die ik ooit heb gezien! Goed dat ze straks in de fik gaat!'
Ik werd behoorlijk pissig. Lena werd nog pissiger.
'Rot op en ga op het strand je eigen vuurtje stoken!' brulde ze zo hard naar Magnus dat de lucht tot in mijn trui trilde.
Magnus liep weg, maar we konden hem nog een hele poos horen lachen. Ik zei tegen Lena dat hij vast en zeker jaloers was omdat hij en Minda altijd de heks maken. Maar dat hielp nauwelijks. Lena siste en schopte tegen onze heks zodat ze omviel. Er piepte een beetje hooi uit haar buik.

We gingen naar Lena's huis en maakten zelf limonade. Lena's moeder schildert en maakt kunst van rare spullen, en hun hele huis staat vol met alle mogelijke merkwaardige dingen. Ze hebben zelfs een halve motor in het washok. Dat moet een hele worden als ze hem in elkaar geschroefd hebben.
Lena blies grote, boze bellen in haar glas, terwijl haar ogen door de kamer dwaalden. Ineens stopte ze met blazen en haar gezicht ging in denkstand.

Boven op een rode hoekkast zit de grootste pop die ik ken. Ik heb al vaak naar haar zitten kijken. Haar handen zitten los en er is wat verf van haar gezicht afgebladderd, maar Lena's moeder heeft haar opgekalefaterd met droogbloemen. Die pop, daar viel Lena's oog op.
Ik schrok me te pletter toen ik begreep wat ze dacht.
'We kunnen toch niet...?'
'Heksen moeten juist van ouwe rommel zijn gemaakt, Olle. Die pop is meer dan zeventig jaar oud, man! Dat heeft mama al honderd keer gezegd.'

'Is ze niet *te* oud?' vroeg ik.
Tjonge jonge, wat een vraag, vond Lena, sorry dat ze het zei. Hoe ouder hoe beter! Ze schoof de gele schommelstoel naar de kast en commandeerde mij erbovenop om de pop te pakken.
'Mijn knieën knikken,' mompelde ik.
Lena greep ze alle twee met haar magere vingers beet.
'Nu niet meer.'

Het was een stuk makkelijker om een heks te maken nu we een pop aan de binnenkant hadden in plaats van hooi. Met een fopneus, een zonnebril en een hoofddoek zag ze er haast levend uit. Je raadde nooit dat het een pop was als je het niet wist. We verstopten haar onder Lena's bed.

Die avond kon ik niet goed in slaap komen. Ten slotte deed ik in mijn avondgebed een goed woordje voor de heks.
'Lieve God, zorg alsjeblieft dat ze niet echt verbrandt.'

Toen ik op midzomerdag 's ochtends de keuken binnenstapte, zat tante-oma er.
'Nee maar, daar hebben we Ollebol,' zei ze met een knipoog.
Tante-oma is dik en oud en de grote zus van opa. Ze woont twintig kilometer van ons vandaan en komt vaak op bezoek, elke keer dat het niet een gewone dag is – met Kerstmis en Pasen, en op verjaardagen en zo. En op midzomerdag. Onze echte oma, de vrouw die met opa was getrouwd, ging dood toen ze pas vijfendertig was. Tante-oma is onze reserve-grootmoeder.

Ik voelde hoe ik vanbinnen helemaal warm werd toen ik haar

zag. Tante-oma's gezicht heeft zulke fijne lijnen, want ze glimlacht de hele tijd. Bij mij thuis gaan ze allemaal uit hun dak als zij op bezoek komt. Dan spelen we mens-erger-je-niet, eten pepermuntjes en luisteren naar verhalen die tante-oma samen met opa vertelt. En dan maakt tante-oma wafels. Ze zeggen vaak dat dit of dat het beste is wat een mens kan overkomen, maar de wafels van tante-oma zijn écht het beste wat je kan overkomen, zeker weten!

Het werd een mooie middag. Zelfs papa deed mee aan de spelletjes en aan de wafels. Hij moest eigenlijk mest uitrijden, maar mama vond dat hij dat best een andere dag kon doen, dan hoefden we midzomer tenminste niet in de meststank te vieren. En dat vond papa een prima plan.

Om zes uur klapte mama in haar handen en zei dat het tijd was voor het midzomervuur. Ik wou dat ik een knop op mijn voorhoofd had waarop ik kon drukken om te verdwijnen. Waarom heeft God niet zulke knoppen aan ons gemaakt? Ik had honderd keer liever zo'n knop gehad dan mijn middelste teen.

Precies toen we zouden gaan, greep tante-oma naar haar rug en zei dat ze wat moest rusten. Opa bleef achter om haar gezelschap te houden – en om nog meer pepermuntjes en wafels te eten.
'Ik wil ook hier blijven!' zei ik.
Daar kwam niets van in.

Ik had Lena de hele dag nog niet gezien, maar nu kwam ze aanlopen en sleepte onze pracht van een heks, gewikkeld in

een laken, achter zich aan. Er stond een diepe bezorgdheidsrimpel in haar voorhoofd.
'Zullen we haar hier gewoon achterlaten?' vroeg ik.
Lena keek even naar Magnus en schudde haar hoofd.

Iedereen die in Knal-Mathilde woont, had zich op het strand verzameld. Dat wil zeggen: mijn familie, Lena en haar moeder, oom Tor, dat is een broer van papa, en de vriendin van oom Tor. Op de strandkeien stond de hoogste en mooiste stapel brandhout die ik ooit had gezien. Minda, Magnus en papa hadden hem gebouwd. Mijn grote zus en broer waren blij en trots.
'Jawel, het enige wat er nu nog aan ontbreekt, is de heks,' glimlachte papa terwijl hij aan zijn snor draaide.

Lena kuchte en rolde de heks uit het laken. Iedereen staarde met open mond naar wat wij hadden gemaakt.
'Wauw, te gek!' zei Minda onder de indruk, en de volwassenen knikten instemmend. Vanuit mijn ooghoek zag ik dat Lena's bezorgdheidsrimpel was uitgegroeid tot een heel kratertje. Ik tastte mijn eigen voorhoofd af. Nog steeds geen knop te bekennen.

Minda pakte de heks onder haar arm en klom boven op de stapel hout. Haar knieën knikten totaal niet toen ze daarboven stond – méters boven de grond. Minda is uit Colombia geadopteerd. Mama en papa hebben haar daar opgehaald toen ze een weesbaby'tje was. Ik vraag me wel eens af of ze eigenlijk niet een indianenprinses is. Zo ziet ze eruit. En op deze midzomeravond, toen ze met wapperend haar boven op de stapel hout

stond, vond ik dat ze meer dan ooit op een indianenprinses leek. Ik werd al weer bijna blij, totdat oom Tor zijn aansteker tevoorschijn haalde. Hij wilde net het vuur aansteken toen Krullie riep:
'Het buidspaard!'

Iedereen draaide zich om. En inderdaad, daar kwam een bruidspaar over ons pasgemaaide veld aanlopen. Opa en tante-oma! Volgens mij kreeg ik een kleine shock. Zoiets zie je alleen maar in films. Tante-oma had papa's pak geleend en was de bruidegom. Ze zag eruit als een dikke pinguïn. En opa

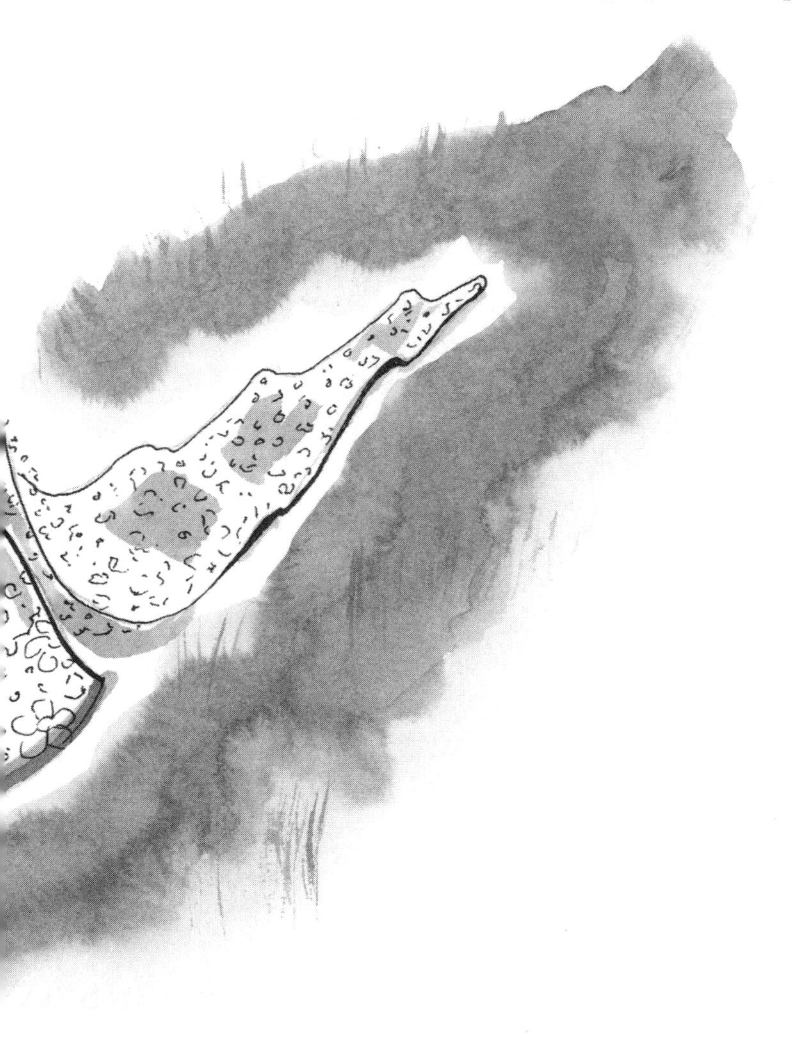

droeg een lange, witte jurk, een sluier en schoenen met hoge hakken. Zijn cactus was het bruidsboeket.

Niet normaal zoals wij die avond hebben gelachen! Mama verslikte zich zo hevig in haar perensap met prik dat ze tot de volgende dag heeft gehoest. Zelfs oom Tor zakte op zijn knieën. En het mooiste van alles: niemand dacht nog aan het midzomervuur.

Maar toen opa en tante-oma eindelijk waren gaan zitten, haalde oom Tor zijn aansteker weer tevoorschijn.
'Niet aansteken!' zei Lena snel.
Iedereen keek haar verbaasd aan, maar voor we nog meer konden protesteren, had mijn oom het hout al in brand gestoken. Ik zag dat Lena een ogenblik stopte met ademhalen. Ze verzamelde al haar krachten voor een giga-schreeuw. Zo een die alleen Lena voor elkaar krijgt. Ik was nog net op tijd om mijn handen op mijn oren te leggen.
'Uitmaken!!' brulde ze.
De vlammen dansten langs de zijkanten van de houtstapel omhoog richting de heks.
'Mamma, de pop! De pop zit in de heks! Maak het vuur uit!!'

Minda was de eerste die reageerde. Bliksemsnel gooide ze een blik worstjes leeg en vulde dat met zeewater. En toen werd kennelijk iedereen ineens wakker. We maakten alles leeg wat we aan blikken en bakken konden vinden, en struikelden over elkaar terwijl we heen en weer holden naar het water. Papa liep te wijzen en bevelen uit te delen, en deed pogingen om ons een rij te laten vormen. Hij zit bij de vrijwillige brandweer in ons

dorp. Maar het haalde weinig uit. De vlammen vraten hun weg omhoog.
'O nee, o nee,' jammerde ik stilletjes. Ik durfde niet langer naar de heks te kijken.

We hadden algauw door dat het vuur zo niet uitging. Het fikte aan alle kanten.
'Het heeft geen zin,' riep oom Tor terwijl hij zijn handen uitsloeg.
Net toen hij dat had gezegd, en alle hoop verloren was, hoorden we dat iemand de tractor startte. Die stond nog steeds ergens op het veld met een volle mestkar. Opa was achter het stuur gekropen en kwam nu, achteruitrijdend en in ijltempo, op ons af.
'Uit de weg!' brulde hij uit het raam, terwijl hij probeerde de sluier uit zijn ogen weg te houden.
Mama zette het op een gillen. Dat was het laatste wat ze kon doen voordat de bruid de mestsproeier opendraaide en het vuur op gepaste afstand een overdosis stront gaf.

Eén korte, vreemde seconde was de hemel bruin. Ik herinner me dat ik dacht dat dat onmogelijk echt zo kon zijn, terwijl ik zag hoe iedereen in elkaar dook, met zijn handen boven zijn hoofd. Toen daalde de koeienmestregen over ons neer. Allemaal werden we, van top tot teen, ondergespoten met mest. Rennen had geen zin. We zagen en hoorden niets anders dan vliegende mest, aan alle kanten.

Toen het eindelijk ophield, was het alsof alle geluiden in de wereld weg waren. Wij, de inwoners van Knal-Mathilde, stonden daar, met stomheid geslagen. Niet één plekje op ons lichaam was vrij van mest. Nooit, nooit van mijn leven zal ik dit vergeten.

De tractordeur ging langzaam open. Opa trok voorzichtig de verblindend witte jurk een klein beetje op en trippelde keurig tussen de smurrie op het veld naar ons toe.
'Ja ja,' zei hij en knikte naar het vuur.
Er was niet één vlammetje meer te zien. De houtstapel en de heks zaten net zo onder de mest als wij.

'Dankjewel, opa,' zei ik zachtjes.

De bark van Noach

De volgende dag gingen we naar de zondagsschool, Lena en ik. We namen bovendien Krullie met ons mee.

Het had die nacht geregend, dus er waren veel modderplassen op de weg. Krullie had haar laarzen verkeerd om aan, en moest bergopwaarts steeds worden gedragen.
'Wat een mazzel dat ze niet van mij is,' zei Lena af en toe wanneer ze op ons moest wachten, maar ik weet dat ze het diep van binnen niet meent. Krullie is zo goed als goud. Eigenlijk is haar naam even maf als de mijne. Kruizemunt Lillian of zoiets. Ik weet het niet precies meer.

Op de zondagsschool leerden we over de ark van Noach. Noach was een man die een paar duizend jaar geleden in een ander land leefde. Op de top van een berg bouwde hij een grote boot die ark heette. God had gezegd dat Noach zijn boot op de top van de berg moest bouwen. Het zou kolossaal gaan regenen, zei God. De hele aarde zou één grote zee worden. Noach moest van alle dieren die er bestonden een mannetje en een vrouwtje verzamelen en die veilig aan boord van de ark brengen voordat de regen losbarstte, anders zouden ze verdrinken. De mensen vonden Noach maar een rare snuiter zoals hij in de weer was met zijn dieren in een boot op de top van een berg, maar daar trok Noach zich niets van aan. En toen hij klaar was, begon het te regenen. Eerst kwamen alle velden en wegen onder water te staan, toen stroomde het water over de boomtoppen en de huizen, en ten slotte steeg het tot de berg waarop Noach met zijn ark zat, zodat het water de grote boot van de bergtop af tilde. Noach dreef samen met zijn familie en alle dieren wekenlang rond. De ellende was dat alle mensen en dieren die niet aan boord van de ark waren, verdronken. God vond het ook triest, dus daarna maakte hij de regenboog en beloofde dat hij nooit meer zoveel regen tegelijk zou laten vallen.

Toen we in de zon naar huis terugliepen zei Lena:
'Ark is best een domme naam voor een boot. Die Noach had toch wel wat beters kunnen verzinnen?'
'Het is niet zeker hoor dat Nóach die naam verzonnen heeft,' zei ik en sprong over een grote modderplas.
'Wie was het dan?' vroeg Lena en sprong over een nog grotere modderplas. 'Schreven ze fouten in de Bijbel?'
'Ze schreven geen fouten in de Bijbel, toch?' zei ik en nam een aanloop om over de allergrootste modderplas op weg naar huis te springen. Ik landde er middenin.
'Misschien waren nog niet alle letters uitgevonden,' zei Lena na de plons. 'Want het is keilang geleden.'
Ik kiepte het water eerst uit mijn laars en toen uit die van Krullie, terwijl ik Lena vroeg of ze een betere naam voor de boot wist. Lena gaf niet direct antwoord. Ik dacht bijna dat ze er geen wist te verzinnen, maar toen kwam het:
'Bark.'

De bark van Noach moest het zijn, vond Lena. Iedereen weet dat een bark een boot is. Ark klinkt meer als een halve hark. Lena zuchtte teleurgesteld over de schrijvers van de Bijbel.
'Barken zijn best wel oude boten,' zei ik.
Lena knikte.
'Daarom zijn de dinosaurussen ook uitgestorven, Olle. Ze zijn verdronken. Noachs boot was gewoon te gammel voor ze.'

Het was precies op dat moment, terwijl ik voor me zag hoe Noach aan het douwen en sjorren was om de Tyrannosaurus Rex aan boord te krijgen, dat ik dit schitterende idee kreeg:
'Lena, zullen we dat met de bark proberen? We kunnen best kijken voor hoeveel dieren we plek kunnen maken!'
Er was niets waar Lena haar zondag liever voor wilde gebruiken dan dat.

Oom Tor heeft een mooie, grote bark die hij alle dagen gebruikt behalve op zondagen. Hij wordt gauw kwaad, oom Tor, vooral op Lena en mij. Maar barken liggen nu eenmaal niet voor het oprapen. Je mag blij zijn dat je een bark hébt, ook al is die van oom Tor, vond Lena. Ze vroeg zich af of ik dacht dat Noach zich iets zou hebben aangetrokken van een best wel lastige oom, wanneer de hele wereld op het spel stond. Ik haalde een beetje onzeker mijn schouders op. Toen leverden we Krullie af bij papa en holden ervandoor.

Oom Tor woont in het derde en laatste huis van Knal-Mathilde, helemaal aan zee. Deze zondag was hij naar de bioscoop in de stad. De bark lag te dobberen bij de pier. Je kon zo aan boord klauteren en de loopplank uitleggen. Ik heb het al eerder gedaan, want ik ben een keer met hem gaan vissen. We deden reddingsvesten aan. Toen voelde het meteen iets minder verboden om een bark in te pikken zonder het te vragen. Heel even hadden we het erover om ook onze fietshelmen te pakken, maar die lieten we zitten.

Er zijn vrij veel verschillende dieren in Knal-Mathilde. Kleine en grote. Eerst droegen we de twee konijnen aan boord die hun hok vlak voor het keukenraam van opa hebben. Februari en Maart heten ze. Het was absoluut onmogelijk om ze rustig op het dek achter te laten, maar toen we ze een arm vol paardenbloemblaadjes gaven, kalmeerden ze. Daarna liepen we de kippenren achter onze hooischuur in en haalden kip Nr. 4 en onze haan op. De haan maakte een verschrikkelijk spektakel. Heel even waren we er zeker van dat mama ons zou ontdekken, maar ik denk dat de radio binnen aanstond. De schapen zijn 's zomers in de bergen, dus we moesten het doen met de enige geit die we hebben. Ze is even oud als Magnus en is een 'lastig portret' zoals tante-oma dat noemt. Toen de domme geit aan boord kwam, at ze alle paardenbloemen voor de konijnen op, zodat we nieuwe moesten plukken. Daarna doorzochten we heel Knal-Mathilde naar onze twee katten, maar we konden alleen Festus vinden.
'Hij is zo dik dat hij voor twee telt,' besliste Lena en legde hem in de zon bij de kajuit neer.

De reddingsvesten waren helemaal uitgerekt door al die vrachten. We trokken ze strak aan, en haalden zoveel inmaakpotten uit de voorraadkast als we maar konden dragen. Toen begonnen we aan de insecten. Twee hommels, twee wormen, twee

slakken, twee bladluizen, twee spinnen en twee kevers konden we vangen. In totaal zes potten. Toen we daarmee klaar waren, waren er heel wat uren verstreken. We hadden honger en een stijve rug. Lena was zelfs door een van de hommels gestoken, toen ze wilde uitzoeken of het een man of een vrouw was.
'We krijgen het nooit klaar,' zei ze en wreef geïrriteerd over haar hommelbult.
Alle dieren waren mooi op het dek in de zon gaan liggen. Ik had nog nooit dieren op een boot gezien. Misschien hadden ze hun hele leven lang al een boottochtje willen maken. Dat was een mooie gedachte. Maar er was nog steeds plek voor meer dieren.
Lena keek me ernstig aan toen ze zei:
'Olle, het wordt tijd voor een koe.'

Oom Tor heeft vaarzen. Vaarzen zijn puberkoeien die iets onrustiger zijn dan gewone koeien en iets kleinere uiers hebben. Ze liepen voor het huis van mijn oom in de wei. Alles wat we deze zondag nodig hadden was van oom Tor, dacht ik, en ik wou dat we zelf koeien hadden gehad. Hij ging zeker stampei maken! Mijn knieën knikten, en ik liet het aan Lena zien.
'Dat kan zo niet langer met die knieën van jou, Olle,' zei ze en bedoelde dat Tor moest begrijpen dat we ons niet de hele dag konden uitsloven voor wat insecten. We moesten ook een dier hebben dat een beetje plaats innam. Ik was bang dat oom Tor dat niet zou begrijpen, maar ik zei niets meer.

Na een poosje te hebben staan kijken naar de grazende vaarzen, pikten we er degene uit die er het grootst en aardigst uitzag.

'Kom, boe-moedertje,' zei Lena, en pakte voorzichtig de band die de vaars om zijn nek had.
Het liep op rolletjes. Ze volgde ons naar de pier zonder ook maar het minste kabaal te maken. Het was alsof we een reusachtig grote, lieve hond aan de lijn hadden.
'O, nu wordt het lekker vol!' zei Lena tevreden.
Mijn knieën waren helemaal rustig. Lena en ik hadden hetzelfde voor elkaar gekregen als Noach. We hadden een bark volgeladen met beesten. Alleen nog even deze vaars aan boord brengen, dan was het proppievol.

Maar midden op de loopplank, met de vaars vóór ons, ontdekten we plotseling dat de geit aan de gordijnen van de kajuit was gaan eten. Lena zette het op een gillen, en vanaf dat moment ging alles verkeerd.

De vaars was zo bang voor Lena's razende gegil dat ze bijna een halve meter de lucht in schoot en met een dreun op de bark knalde. Plotseling hadden we een vaars in shock aan boord. Ze loeide wild tegen de hemel en schopte om zich heen. De kat en de konijnen begonnen alle kanten op te vliegen. Nr. 4 en de haan stegen op en landden weer, terwijl ze kakelden en kraaiden. De geit keek verbaasd om zich heen en scheet op het dek. En alsof dat nog niet genoeg was, gleed de vaars uit over de geitenkeutels en knalde tegen het raam met het half opgegeten gordijn zodat dat sneuvelde. Alles was één grote warboel van veren en keutels, paardenbloemen en konijnen.

Lena en ik stonden werkloos toe te kijken. Ten slotte sprong de vaars met een majestueuze plons de zee in.

Toen kwam oom Tor. Gelukkig voor de vaars. Ongelukkig voor ons.
'Wat is dit in hemelsnaam voor janboel?' riep hij zo hard dat ze het in Colombia konden horen, gegarandeerd.
'We hebben het op de zondagsschool geleerd,' piepte Lena.
De vaars draafde als een gek rond in de zee, ze was net een kleine bruine motorboot. Ik denk dat ze last van watervrees had. Oom zei niets meer. Hij sprong op de boot en maakte een lasso van een touw dat daar lag.

Hij is geen cowboy, mijn oom, en hij moest een hele hoop keren, op zijn wonderlijke wijze, werpen voordat hij de lus eindelijk om de kop van de vaars kreeg. Toen hij haar ten slotte op het land wist te trekken, was hij zo nat en kwaad dat het schuim aan alle kanten van hem af spatte.
'Tuig van de richel!' brulde hij tegen Lena en mij.
Ik was blij dat hij moest blijven staan waar hij stond om de vaars te kunnen houden.
'Als jíj, Olle Danielsen Buitenhof, of jij, Lena Lid, ook maar in mijn buurt komt vóór er een halfjaar voorbij is, dan timmer ik jullie hoofd tot onder in je buik, bij jullie allebei!' brulde hij en maaide zo heftig met zijn arm dat die bijna losraakte van zijn schouder.

We renden zo hard als we konden en wierpen ons achter de speelhut van Krullie op de grond. Ik lag een poosje op mijn rug en was wanhopig. Ten slotte zei Lena:
'Wanneer je hoofd in je buik zit, dan kun je in elk geval door je navel kijken.'

Ouders hebben altijd in de gaten wanneer je iets fouts hebt gedaan. Zo was het deze keer ook. Het is net alsof ze een ingebouwde radar hebben. Mama, papa en Lena's moeder haalden ons naar binnen, in onze blauwe keuken, en moesten per se weten wat we hadden uitgevreten. We kregen niet eens de kans om eerst onze reddingsvesten uit te doen.

Er zat niets anders op dan alles te vertellen en uit te leggen. Toen we klaar waren, zaten de drie ouders ons met grote ogen aan te kijken. Het was dood- en doodstil. Lena zuchtte zoals ze altijd doet in de rekenlessen, haperend en dunnetjes. Ik trommelde met mijn vingers op het reddingsvest zodat ze in elk geval zouden opmerken dat we die wel degelijk hadden aangedaan.
'Die goeie, ouwe Noach,' zei papa ten slotte en probeerde een glimlach onder zijn snor te verbergen.
Mama keek hem streng aan. Dit was niet het moment voor grapjes, vond ze.
'Zijn ze soms niet goed bij hun hoofd, die twee?' vroeg ze.
Ik wist niet zo goed wat ik moest antwoorden, dus ik knikte alleen maar. Zelfs ik snapte wel dat het dit weekend een beetje te ver gegaan was.
'Ze moeten netjes sorry gaan zeggen en de dieren weer ophalen,' zei Lena's moeder resoluut.
'Ik denk dat Tor ons liever niet ziet,' mompelde Lena.

Maar dat hielp geen steek. Papa stapte in zijn klompen en nam ons mee. Ik was ondanks alles blij dat hij met ons meeging.

Oom Tor is zijn kleine broer. Het helpt wel om daaraan te denken, op zulke dagen als deze.
'Je bent niet goed wijs, Olle!' riep Magnus vanuit de schuur toen we wegliepen. Ik deed alsof ik hem niet hoorde.
'Nu waren de fietshelmen misschien wel handig geweest,' fluisterde ik tegen Lena.

Er kwam die dag geen regenboog aan de hemel, ook al hadden Lena en ik een hele bark met dieren gevuld. Maar ja, regenen deed het ook niet. Het liep best goed af. De vriendin van mijn oom was op bezoek, en zij is gek op kinderen. Zelfs op kinderen zoals Lena en ik. Oom kon niet zo verschrikkelijk boos blijven zolang zij in de buurt was.
'We zullen nooit meer je boot of je vaars lenen zonder het te vragen,' zei Lena.
'En we zullen de kapotte ruit betalen,' beloofde ik.
Lena kuchte hard.
'Wanneer we geld hebben,' voegde ik er haastig aan toe.

Daarna kregen we appeltaart met slagroom van oom Tors vriendin.

Toen de dieren weer op de plek waar ze thuishoren waren, lag er inmiddels dauw op het gras. Lena floot zachtjes.
'Weet je wat rijmt, Olle?'
Ik schudde mijn hoofd.
'Geit en schijt!' grijnsde ze.
Toen holde ze lachend door het gat in de heg. Ik hoorde hoe ze

de huisdeur dichtknalde. Dat doet ze altijd. Ze knalt hem zo hard dicht dat het door heel Knal-Mathilde dreunt.

Zo is ze nu eenmaal, Lena Lid.

'Papa gevraagd!'

De dag daarna begon papa aan zijn zomerproject. Dat doet hij elke zomer. Het project is in de regel iets groots en moeilijks wat moet worden gebouwd. En mama bepaalt altijd wat het wordt. Dit jaar heeft mama bepaald dat we een stenen muur boven aan het terras moeten hebben. Lena was dik tevreden. Ze is gek op balanceren.
'Je moet hem hoog en smal maken,' commandeerde ze.
Papa bromde tussen alle stenen. Hij houdt niet van zomerprojecten. Hij wil het liefst op het balkon zitten koffiedrinken als het zomer is. We stonden nog maar net naar het metselwerk te kijken, Lena en ik, of hij vroeg ons om ergens anders te gaan spelen, een flink eind verderop.

'Heb jij eigenlijk geen papa?' vroeg ik snel, zo'n beetje in een kuchje, toen we door de heg waren gesprongen en bij Lena's tuin en Lena's muur waren aangekomen.
'Jawel, die heb ik wel,' antwoordde Lena.
Ze hield haar handen recht naar voren terwijl ze achteruit balanceerde. Ik keek naar haar versleten tennisschoenen die zich verder en verder weg bewogen.

'Waar is hij dan?'
Dat wist Lena niet. Hij was 'm gesmeerd voordat ze was geboren.
'Gesmeerd?' vroeg ik verbijsterd.
'Ben je soms slechthorend?'
Lena keek me geïrriteerd aan.
'Waar kun je ze trouwens voor gebruiken?' knalde ze erachteraan.
Ik wist niet zo goed wat ik moest antwoorden. Gebruiken, gebruiken, tja.
'Ze bouwen dingen. Muren en zo.'
Lena had al een muur.
'En ze kunnen... eh...'
Ik had er nooit zo diep over nagedacht waar je een papa voor gebruikt. Alsof ik zó misschien op een idee zou komen, ging ik op mijn tenen staan en gluurde over de heg. Met een knalrode kop stond papa te schelden op het zomerproject. Het was nog niet zo eenvoudig om te bedenken waar ik hem voor gebruik.
'Ze eten gekookte kool,' zei ik ten slotte.

Lena en ik houden allebei niet van gekookte kool. Het smaakt naar slijm. Helaas hebben we in Knal-Mathilde een hele akker met kool. Zowel mijn mama als die van Lena zeggen dat je kool moet eten, voor je eigen bestwil. Maar papa, die zegt dat niet. Hij eet mijn kool op. Ik kieper de groene smurrie gewoon op zijn bord wanneer mama de andere kant op kijkt.

Lena vond het vast niet zo'n stomme vondst van mij, die van de kool, dat zag ik aan haar. Ze had goed uitzicht op papa en het zomerproject, daarboven op haar muur. Lange tijd stond ze op één voet en bestudeerde hem grondig.

‘Hm,’ zei ze ten slotte en sprong van de muur af.

Later die dag gingen we naar de Rimi om alles te kopen wat Magnus vergeten was. Lena’s moeder werkt in die winkel. Ze was artikelen aan het tellen toen we binnenkwamen.
‘Hoi!’ begroette ze ons.
‘Hoi,’ zei ik.
Lena hief alleen haar hand op als groet.
Toen we weer buitenkwamen, stonden we stil om de briefjes te lezen die op de deur hingen. Dat doen we altijd. Vandaag hing er een extra groot briefje. We bukten ons om het te lezen.

Puppy gevraagd.
Liefst een gemengd ras.
Moet zindelijk zijn.

Lena las het briefje een paar keer achter elkaar.
‘Wil jij een hond hebben?’ vroeg ik.
‘Nee, maar dit zal toch ook wel lukken met papa’s?’

Magnus had Lena en mij een keer over contactadvertenties verteld. Dat zijn van die berichten die iemand in de krant zet wanneer hij een geliefde wil hebben. Lena had zich wel eens afgevraagd of dat kon, vertelde ze, zo’n advertentie zetten, met het oog op een papa. Er was maar één nadeel: je kon nooit weten wie de krant las. Dat konden bandieten zijn, hoofden van scholen of god weet wat. Dan was het beter om het briefje bij de Rimi op te hangen, waar ze de mensen kende die boodschappen deden.
‘Schrijf jij maar, Olle. Jij kunt zulke mooie krullen maken,’ zei

ze toen we in de winkel pen en papier waren gaan halen.
Haar ene staartje hing scheef, maar verder zag ze er geweldig vastberaden uit.
Ik voelde me enorm wantrouwend.
'Wat moet ik dan schrijven?'
Lena ging op de houten tafel voor de Rimi liggen en dacht zó hard na dat ik het bijna kon horen.
'Schrijf: "Papa gevraagd",' begon ze.
Ik slaakte een zucht.
'Lena, denk je nou...'
'Schrijf op!'
Ik haalde mijn schouders op en deed wat ze zei.
Daarna hield Lena voor haar doen best lang haar mond. Ten slotte schraapte ze haar keel en sprak luid en duidelijk:
'Moet aardig zijn en gekookte kool lusten, maar eigenlijk komt alles in aanmerking, als hij maar aardig is en gekookte kool lust.'
Ik fronste mijn wenkbrauwen. Dat klonk heel vreemd.
'Weet je wel zeker dat we iets over kool moeten schrijven, Lena?'
Nee, dat wist Lena niet zeker. Maar aardig moest hij wel zijn.

Ten slotte was het briefje zo:

Papa gevraagd.
Moet heel erg aardig zijn.
En gek op kinderen.

Helemaal bovenaan schreven we de achternaam en het telefoonnummer van Lena, en toen plakte ze het briefje op, vlak onder het hondenbriefje.

'Je bent gek!' zei ik.
'Ik ben niet gek. Ik breng alleen een beetje schot in de zaak,' antwoordde Lena.

Lena had echt schot in de zaak gebracht. We waren nog geen halfuur bij haar thuis of de telefoon ging. Eigenlijk had Lena volgens mij niet zo goed nagedacht over wat we hadden gedaan, tot op dat moment. De telefoon rinkelde en rinkelde.
'Moet je hem niet opnemen?' fluisterde ik ten slotte.
Ze stond tegen haar zin op en nam de telefoon aan.
'H-hallo...?'
Lena's stem was dun als een draadje. Ik legde mijn oor dicht bij het hare.
'Hallooo, ja. Je spreekt met Vera Johansen. Heb jíj soms een briefje bij de Rimi opgehangen?'
Lena keek me met grote ogen aan, toen kuchte ze:
'Ja...'
'Mooi! Dan heb ik iets interessants voor je. Hij is nog een beetje onrustig, maar moet je horen, hij heeft de laatste twee weken niet één keer binnen geplast!'
Lena's kin zakte haast tot op haar buik.
'Plast hij buiten?' vroeg ze verschrikt.
'Ja, *is* het geen grote jongen?'
Vera Johansen klonk erg trots. Volgens mij was ze getikt. Een papa die niet binnen plaste! Lena stond daar met een gekke bek, maar ze vond vast dat ze zich een beetje moest vermannen, dus schraapte ze haar keel en vroeg een beetje streng of hij ook gekookte kool lustte. Het bleef een ogenblik stil aan de andere kant van de lijn.

‘Nee, weet je, dat heb ik hem nog nooit gegeven. Is je mama misschien thuis? Zij wil vast ook wel een woordje meespreken, ja toch?’
Lena gleed langzaam op haar knieën. Het laatste wat Vera Johansen zei, was dat ze hem tegen vijven mee kon nemen, zodat we hem konden zien. Dat maakte het makkelijker om een besluit te nemen.

Nadat Lena had opgelegd bleef ze zitten en staarde in de lucht.
‘Plast jouw papa buiten, Olle?’ vroeg ze ten slotte.
‘Heel zelden.’
Lena ging op haar buik liggen en bonkte met haar hoofd op de vloer.
‘O, ik word niet goed! Wat zal mama zeggen?’

Daar kwamen we gauw achter, want even later werd de deur wijd open gegooid met een hoop kabaal, en Lena’s moeder stapte binnen met het briefje in haar hand en rode wangen. Ze lijkt op Lena.
‘Lena Lid! Wat heeft dít te betekenen?’
Lena, nog steeds op de vloer, verroerde geen vin.
‘Geef antwoord! Ben je helemaal gek geworden?’
Ik merkte dat Lena niet zoveel te zeggen had.
‘Ze brengt een beetje schot in de zaak,’ legde ik uit.

Lena’s moeder is er gelukkig aan gewend om Lena’s moeder te zijn, dus ze raakt niet in shock van zoiets. Ik keek naar haar en dacht dat er vast veel mensen zijn die het zien zitten om met haar te trouwen. Ze heeft een zilveren knopje in haar neus.
‘Ik zal het nooit meer doen,’ beloofde Lena daarbeneden.

Haar moeder ging ook op de vloer zitten, net als zij. Dat doen ze daar in huis.
'Ja ja. Ik moest het briefje gauw wegtrekken voordat iemand zag wat erop stond,' grijnsde ze.
Ik begreep dat ik weer te hulp moest schieten:
'Vera Johansen komt zo meteen, om vijf uur.'

Die middag belde Lena's moeder wel zeventien keer naar Vera Johansen. Niemand nam op. Het werd later en later. Vanaf kwart vóór vijf zaten we alle drie om de keukentafel te wachten. De grote wijzer hupte naar de twaalf, tik voor tik.
'Jullie houden me voor het lapje,' zei Lena's moeder.
Toen werd er aangebeld.
Op de trap stond een glimlachende Vera Johansen met een rode blouse aan en haar hoofd schuin. We probeerden langs haar te kijken. Geen van ons kon een papa ontdekken, maar je kon nooit weten. Misschien stond hij om de hoek te plassen.
'Goeiedag,' zei Lena's moeder.
'Goeiedag! Ja, jullie zijn vast benieuwd naar wat ik bij me heb!' riep Vera bijna.
Lena's moeder probeerde te glimlachen. Dat lukte slecht.
'We hebben ons eigenlijk bedacht,' hakkelde Lena, maar Vera Johansen was al op weg naar haar auto. Het is gewoon niet te doen om zulke dames te stoppen.

Lena is trouwens ook niet goed te stoppen, echt niet. Ze sprong de buitentrap af en sprintte Vera voorbij.
'We willen hem niet hebben, hoor. Ze moeten binnen plassen!'
Ze had het nog niet gezegd of we hoorden een piepklein, iel

blafje uit de auto. Het kopje van een puppy kwam tevoorschijn achter de autoruit.
'Een hond?' fluisterde Lena.
'Ja,' Vera Johansen fronste haar wenkbrauwen. 'Wilde je dan niet een hond hebben?'
Lena deed haar mond een paar keer open en dicht.
'Nee, ik zocht een…'
'Een chinchilla!' riep haar moeder vanuit de deur.

De puppy die Vera Johansen bij zich had, was nog schattiger dan een chinchilla. Lena wilde het beestje houden, maar nee, er waren grenzen, zei haar moeder.

Daarna moest Lena's moeder een hele tijd aan de motor sleutelen om weer te kalmeren. Lena en ik gingen op de wasmachine zitten toekijken. Af en toe vroeg ze ons om een stuk gereedschap aan te geven. Verder was het helemaal stil.
'Je kunt niet zomaar in het wilde weg briefjes ophangen,' zei ze ten slotte. 'Heb je er wel bij stilgestaan met wie we opgezadeld hadden kunnen worden, Lena?'
Ik dacht aan alle vrijgezellen die bij de Rimi boodschappen doen.
'We hebben trouwens ook geen plek voor een papa,' vervolgde haar moeder van onder de motor.
Daar was Lena het niet mee eens. Ze konden toch de kelder opruimen?
'Géén man in huis is precies genoeg. En we hebben Olle,' hield haar moeder daaronder vol.
Zoiets stoms had Lena sinds tijden niet gehoord.
'Olle is toch geen man!'

‘Wat ben ik dan?’ vroeg ik.
‘Jij bent een buurtje.’
Aha, dacht ik, en had veel en veel liever dat ze had gezegd dat ik haar beste vriend was.

Grootouders aan de macht in Knal-Mathilde

Bijna alle volwassenen in ons dorp zingen in het gemengd koor. Een gemengd koor, zegt papa, is een koor waarin iedereen wordt gemengd, zowel de mensen die kunnen zingen, als die het niet kunnen. Papa is dirigent en doet zijn best om ze zo mooi mogelijk te laten zingen. 's Zomers is er een zangfestival. Dan gaat ons gemengd koor op reis om andere gemengde koren te ontmoeten. En dan maken ze er één groot, gemengd koor van en zingen een heel weekend lang. Het zangfestival is zó leuk dat ons hele gemengde koor zich er al weken van tevoren op verheugt.

Wij, de kinderen, verheugen ons ook altijd op het zangfestival, want dan zijn alle volwassenen met uitzondering van opa een heel weekend weg, en moet mama de noodtoestand uitroepen in Knal-Mathilde. Deze zomer was het helemaal te gek: plotseling bleek dat zowel Minda als Magnus op kamp zou gaan precies tijdens het zangfestival. De hele baai was bijna uitgestorven, alleen de jongste kinderen, wij dus, en opa bleven achter. 'Dat wordt feest!' grinnikte opa toen hij er achter kwam.

'Lieve Lars, ik krijg het aan mijn hart,' jammerde mama, en overwoog om het hele zangfestival af te blazen uit pure zenuwen voor wat wij allemaal zouden kunnen verzinnen terwijl zij weg waren. Lena daarentegen vond het een unieke buitenkans. Opa zou ook háár oppas zijn.
'Gelukkig zing jij als een neergestorte kraai!' zei ze tegen hem toen ze op de avond voor het zangfestival met haar moeder meekwam om bij het maken van de regels te zijn.

Het werd een lange avond. Toen de volwassenen Lena, Krullie en mij lang en grondig hadden vermaand om aardig te zijn en geen kabelbanen te bouwen terwijl ze weg waren, was opa aan de beurt voor instructies.
'De kinderen moeten op zee reddingsvesten aanhebben en een helm op als ze fietsen. Er ligt brood in de vriezer. Ons 06-nummer hangt boven de telefoon...'
Mama kletste en kletste. Opa knikte en knikte.
'... en lieve Lars, niemand van de kleine kleinkinderen of buurtjes in Knal-Mathilde gaat aan boord van je brommerkist,' eindigde ze, maar toen knikte opa niet meer, en ik zweer je dat ik zag dat hij zijn vingers achter zijn rug kruiste.

De volgende ochtend om vijf over acht piepte de zon door mijn raam en kietelde me in mijn neus. Je kon zelfs ín mijn kamer de gekookte vis en koffie uit de keuken ruiken. Opalucht! Ik keek naar buiten naar de zee, die knalblauw was en kleine golfjes had, en rende naar beneden. Krullie en Lena zaten al op het aanrecht en aten boterhammen met vis en mayonaise. Hij eet echt alleen maar vis, opa. Daarom hebben de katten het bij hem in de kelder ook het meest naar hun zin. Ze

hebben hetzelfde lievelingskostje. Nu smeerde hij zoveel boter op mijn boterham dat het eruitzag als witte kaas.
'Zorg dat je wat voer naar binnen krijgt, Ollebol. We gaan een stukje rijden. Van binnen zitten krijg je nooit verkering!'

De brommer van opa ziet er ongeveer uit als een omgekeerde driewieler, met een grote kist voorop. In die kist vervoert opa spullen, maar wanneer het zangfestival is mogen zijn kleinkinderen en buurtjes erin zitten. De eerste opdracht op deze dag was om twee blikken verf te halen die opa in de stad had besteld. Ze zouden met de veerboot aankomen.

We spraken af dat we zouden doen alsof de verfblikken vol goudstukken zaten. De koninklijke Knal-agenten moesten de blikken in Knal-Mathilde verstoppen, want de levensgevaarlijke Balthasar-bende zat erachteraan.
'Roverkoning Balthasar doet er alles voor om het geld te pakken te krijgen,' zei ik en kneep mijn ogen tot smalle streepjes.
'Hij eet levende konijnen in hun geheel op,' fluisterde Lena op geraffineerde toon.
'En vissen,' voegde Krullie er met kogelronde ogen aan toe.

Zelfs mama zou niet hebben doorgehad dat er drie kinderen,

ieder gewapend met een waterpistool, in de kist van opa lagen toen we aan de hachelijke tocht naar de veerkade begonnen. We drukten ons tegen de bodem, met een wollen deken over ons heen.

De brommer van opa rammelt grenzeloos. Als je erop zit, klappert je tong vanzelf in je mond. Ik was zo gespannen dat mijn benen er pijn van deden. Eindelijk stopte de brommer, en agent Lena gooide het wollen tapijt opzij zodat het over de veerkade weg fladderde.
'Handen omhoog!' brulde ze en richtte haar pistool dramatisch op de oprit van de veerboot.

Meestal zijn er niet zoveel mensen op de veerboot. Dat weet ik omdat papa daar gewoonlijk werkt en we af en toe wat tochtjes meemaken. We hadden verwacht dat we zo'n vier, vijf auto's zouden zien, en matroos Birger.
Maar niet vandaag. Vandaag was er kennelijk een familiereünie in een van de boerderijen in de buurt, en nu stonden er meer dan twintig oude dames die doodsbenauwd naar Lena en mij staarden.

'O jee...' mompelde opa. 'Ga jij eens vliegensvlug die blikken voor me halen!'
Ontzet sprintte ik weg, al slalommend tussen alle gebloemde rokken door. Uiteindelijk kwam ik bij matroos Birger en de blikken verf aan.
'D-dankjewel,' stamelde ik met een geweldig slechte agentenstem en griste de blikken mee. In de verte hoorde ik mini-agente Krullie 'pang-pang-pang' roepen naar de arme familie.

'Het is de hele Balthasar-bende,' fluisterde Lena opgetogen toen ik de opdracht eindelijk had voltooid.
'Het zijn Marie van de Heuvel en Lovise van de Ola-hoeve. Ik heb samen met hen op catechisatie gezeten,' bromde opa en salueerde stoer. Onze mini-agente bleef maar 'pang' roepen, net zo lang tot Lena haar, hupsakee, de kist in trok. Opa startte de brommer met een schok, en het gerammel was erger dan ooit toen de vlucht terug naar de burcht in Knal-Mathilde aanving. Het leek wel alsof we in een mixer lagen. Toch vond Lena het na een poosje veilig om de wollen deken van ons af te halen.
Ik kneep mijn ogen half dicht tegen de zon. Opa lag plat voorover op het stuur en gaf vol gas. Af en toe draaide hij zich om en keek achterom. Ik keek langs hem heen en ontdekte dat we in een autorace zaten. De wegen bij ons zijn smal, en opa reed midden op de weg. De auto's konden ons onmogelijk inhalen. En ook al reed hij zo hard als dat met de brommer gaat, dan nog is het niet geweldig hard. Achter ons kwam de hele veerbootsliert die op weg was naar de familiereünie. Ze toeterden en toeterden. Het was net een lange feestoptocht met ons aan kop. Ik zag dat opa grijnsde in zijn helm. Hij zat zich uit te sloven, voor zijn oude schoolvriendinnen.

'Hou je vast!' riep hij plotseling. 'Wij nemen een kortere weg!'
Opa nam een ruige bocht naar links en schoot de oude tractorweg op die over de velden naar ons huis loopt. Het hobbelde zo dat ik dacht dat alles in mij uit de kom zou schieten.
'Jieha!' riep Lena terwijl we het erf op suisden en plotseling remden zodat het droge grind opspatte.

Eenmaal thuis maakten we van het huis een burcht. Opa liep met een deegroller onder zijn broekriem rond en was opperbevelhebber. De blikken verf zetten we midden op de vloer van de huiskamer en toen bouwden we verdedigingswerken voor alle deuren in het hele huis, zodat de rovers van Balthasar niet binnen konden komen. Er was haast geen meubel dat op zijn plek bleef. Telkens weer riep Krullie, die de wacht hield, dat er rovers aan kwamen. En als wij dan deden alsof we ze vanuit de ramen beschoten, begon ze te gieren van het lachen, vooral wanneer opa de deegroller als bazooka gebruikte.
'Het zangfestival is het beste wat ik ken,' zei ik tegen Lena, maar Lena vond dat het nog veel beter was geweest als iemand echt probeerde in te breken.

Toen stelde opa voor om tante-oma 's middags uit te nodigen op de koffie.

'Het is de oude roverkoningin,' fluisterde Lena. We lagen zo stil als een stilstaande klok op een tafel op Minda's kamer en keken door de ruit. Het hoofd van tante-oma was vlak onder ons. Ze belde aan. Voorzichtig wurmden Lena en ik onze pistolen uit het raam.
'Je komt er van je leven niet in!'
Lena klonk erg bars, en tante-oma keek verbaasd omhoog.
'Nee maar, Olle-manneke. Zou je niet even opendoen?'
Snel legde ik haar uit dat ze een machtige roverkoningin was. Tante-oma zette in de war gebracht haar tas neer. In een geheim vakje daarbinnen zitten pepermuntjes.

'En opa dan?' vroeg ze even later.
De punt van een deegroller kwam tevoorschijn in het badkamerraampje naast de huisdeur.
'Loop naar de pomp, mevrouw de Balthasarin!' riep opa zo luid dat het douchehokje stond te schudden.
Tante-oma was maar heel even verbaasd. Toen zei ze dat we best een koekje van eigen deeg konden krijgen of zoiets, en verdween.

Er ging een hele poos voorbij. We zagen tante-oma nergens meer. Lena dacht dat ze naar huis vertrokken was, maar opa was er zeker van dat ze ergens op broedde, en dat we op onze hoede moesten zijn. Bovendien gingen er geen bussen meer.

En plotseling rook ik een lucht die de koude rillingen over mijn rug deed lopen. Ik rende de trap op naar het kabelbaanraam, op de voet gevolgd door Lena.
'Shit man! Ze bakt wafels!' liet Lena zich ontvallen.

En dat deed ze. Tante-oma had zich met een campingtafel en wafelijzer in de tuin van Lena geïnstalleerd. Er liep een lang snoer het keukenraam in bij Lena thuis.
'Ze heeft verdomme ingebroken in mijn huis!'
Lena was zwaar onder de indruk. Er lag al een stapel wafels op tafel. Af en toe wapperde tante-oma met een handdoek, zodat de damp in zware wolken opsteeg tot het raam waar wij stonden. Ik kreeg kippenvel over mijn hele lichaam. Alsof we in de kerk zaten, zo stil waren we terwijl we toekeken hoe de stapel wafels groter en groter werd. Zelfs opa zakte moedeloos in de vensterbank en keek uit het raam. Niemand van ons lette nog

op Krullie, en ineens zagen we haar buiten, in de tuin! Tante-oma omhelsde haar stevig en zette haar op een ligstoel. Toen smeerde ze boter op een pas gebakken, knapperige wafel en strooide er massa's suiker op. Het huilen stond me nader dan het lachen.
'We geven ons gewonnen,' zei Lena resoluut.
'Niks daarvan, nondedju!' knalde opa erbovenop, ook al heeft tante-oma hem gezegd dat hij geen 'nondedju' mag zeggen als wij het kunnen horen. 'Ga je hengel uit de kelder halen, Olle.'

Toen belde opa naar Lena's huis. Tante-oma hoorde het en keek omhoog naar ons in het raam.
'Moet ik hem opnemen?' vroeg ze aan Lena, en Lena knikte heftig.
Tante-oma haalde de wafels uit het ijzer en verdween binnenshuis.
'Ja, hallo. U spreekt met de nationale bond van geopereerde heuppatiënten,' zei opa met een vreselijk hoge stem. 'We vroegen ons af of u ons zo genadig zou willen zijn om een paar krasloten te kopen.'
Hij wees wanhopig op het raam terwijl hij praatte. Tante-oma wilde duidelijk geen krasloten hebben, dus er was weinig tijd te verliezen.
'Psst! Krullie!' fluisterde ik en liet de vislijn zakken.
Krullie snapte niet meteen dat ze wafels aan de haak moest vastmaken. Ze is nog zo klein. We moesten het tot in detail uitleggen, maar toen kregen we twee wafels omhoog gehesen, net voordat opa moest opleggen en tante-oma weer naar buiten kwam. Lena slokte een van de twee meteen naar binnen, terwijl wij haar intussen heelhuids over de vensterbank naar binnen moesten zien te hijsen.

'We moeten delen!' zei ik bijna schreeuwend.
'Je kunt geen twee wafels verdelen over drie personen, Olle!' legde Lena met haar mond vol uit.
Dus moesten opa en ik het met één wafel doen. In de tuin begon Krullie aan haar vijfde.
Na tien minuten maakte opa een kussensloop aan het uiteinde van de lange bezem vast en hees de witte vlag uit het slaapkamerraam. We gaven het op.

Oorlogje spelen is leuk. Maar vrede is het leukst. Dat dacht ik toen ik eindelijk in de tuin zat, samen met de liefste tante-oma van de wereld, en wafels at.
'Waarom is hij zo dun en ben jij zo dik als jullie broer en zus zijn?' vroeg Lena midden in een hap terwijl ze naar tante-oma en opa keek.
'Zij at al mijn eten op toen we klein waren,' zei opa en moest wegduiken omdat tante-oma probeerde hem met de handdoek te slaan.
'Ik was vroeger niet zo dik hoor, Leentje.'
'Hoe dik was je dan ongeveer?' wilde Lena weten.

En zo begonnen de verhalen die avond. Tante-oma was knap geweest, echt wel, als een toneelspeelster. Er waren zoveel jongens die met haar wilden trouwen dat opa op het dak mocht gaan liggen om met een katapult op ze te schieten wanneer ze op bezoek kwamen. Er was in die tijd trouwens niemand dik, voor zover opa zich kon herinneren, want ze aten alleen maar aardappels en vis. Maar op kerstavond kregen ze een sinaasappel. Behalve als het oorlog was. Dan kregen ze er geen…

✝❖❖

Vlak voordat we naar bed zouden gaan, belde mama om te horen hoe het ging. Opa vertelde haar dat zowel de kleine als de grote mensen zich voorbeeldig gedroegen.
'We hebben verhalen verteld over de goeie ouwe tijd en wafels gegeten,' zei hij.
Lena en ik glimlachten.
'Kan ik Krullie even spreken?' vroeg mama toen.
Opa kuchte even en gaf de telefoon met tegenzin aan Krullie.
'Niet zeggen dat we op de brommer hebben gereden,' fluisterde ik tegen Krullie.
Ze knikte en nam de telefoon met een gewichtige blik aan.
'En wat heb jij vandaag gedaan, Krullie-moppie?' hoorden we mama vragen.
Opa viel op zijn knieën voor zijn jongste kleinkind en vouwde zijn handen. Krullie keek verbaasd naar hem.
'Ik heb geen brommer gereden,' zei ze luid en duidelijk.
Opa liet zijn handen vallen en haalde opgelucht adem. Dat deed mama vast ook, daar op haar zangfestival.
'Dat is mooi,' zei ze zacht. 'Wat heb je dan gedaan, meissie van me?'
'Erop gezeten,' zei Krullie.

Isak

Lena was maar één keer per jaar jarig, net als andere mensen, maar je zou denken dat het vaker was. Ze heeft het eeuwig en altijd over haar verjaardag. Nu is het eindelijk bijna zover.
'Tof hè, op negen juli negen jaar worden?' zei ze, in haar nopjes.
Haar moeder was thuisgekomen van het zangfestival, en was vruchten aan het drogen waar ze kunst van ging maken. Lena en ik zaten te eten.
'Ja, tof. Wat wil je eigenlijk hebben?' vroeg haar moeder.
'Een papa.'
Lena's moeder zuchtte en informeerde of Lena hem ingepakt wilde hebben of als cadeaubon.
'Is er nog iets anders wat je wilt hebben, Leentje van me?'
Nee, niet echt, maar toen we al buiten waren bleef Lena toch nog even op de trap staan. Ze gluurde naar de deur en riep ten slotte naar binnen:
'Een fiets!'

Lena vroeg de hele klas op haar verjaarsfeestje. Acht jongens,

plus mij. Een paar uur voor het feestje ging ik eens kijken of er wel genoeg taart voor allemaal was gemaakt. Lena's moeder deed open.
'Goed dat je er al bent, Olle. Misschien kun jij haar troosten.'
Verbaasd liep ik naar binnen.

Op de bank lag Lena. Ze zag er niet best uit.
'Ben je ziek?' vroeg ik verbijsterd.
'Ziek, ja! Ik heb vlekjes op mijn buik!' riep ze, bijna alsof dat míjn fout was.
'En niemand wil op mijn feestje komen en besmet worden, want het is midden in de vakantie!'
Lena smeet haar kussen tegen de muur zodat alle schilderijen in de huiskamer wapperden.
Wat een ramp.
'O, Lena,' zei ik treurig.

Na een poosje kwam mijn moeder kijken of ik niet in de weg liep bij het taart versieren.
'Nee maar Lena, ben je ziek?' vroeg ze ook, en ging op de rand van de bank zitten. Mama heeft veel verstand van ziektes. Ze heeft zoveel kinderen.
'Wat denk jij ervan, Kari?' vroeg Lena's moeder toen ze met de thee binnenkwam.
Mama dacht dat het de waterpokken waren. Toen ik drie jaar was had ik de waterpokken gehad, vertelde ze, en die kun je maar één keer krijgen. Dus kon ik toch op Lena's feestje komen. Als Lena het aankon.

Dat kon Lena, en om zes uur trad ik aan met een cadeau en in

mijn mooie shorts. Het cadeau was een croquetspel. Volgens mij vond Lena het wel leuk. Croquethamers kun je voor van alles gebruiken, beweerde ze. Het werd een fijn feestje. Lena's moeder had een bed in de huiskamer gemaakt, en in dat bed zat Lena als een koningin bevelen uit te delen. We keken naar een dvd en hadden de hele slagroomtaart voor ons alleen. Nog maar één keer werd Lena kwaad over die stomme waterpokken van haar, en smeet een kaneelbolletje tegen de muur.
'Wat zit er toch een hoop gooi- en smijtwerk in jou!' verzuchtte haar moeder.

In de loop van de avond ging het slechter met de jarige job, en het leek mij het beste om naar huis te gaan. Maar daar wilde Lena niets van weten. Het was verdomme geen stijl, zei ze, dat de enige gast om half acht vertrok, terwijl het feestje tot negen uur duurde. Dus nam ik nog een stuk taart terwijl Lena in bed in slaap viel.
'Ik heb met de dienstdoende arts gesproken,' fluisterde Lena's moeder tegen mij. 'De dokter is vanavond toch in de buurt, dus hij kon wel even langskomen.'

Even later werd er aangeklopt. Ik rekte mijn hals en keek de gang in. De dokter was jonger dan dokters meestal zijn, en hij zag er erg lief uit. De volwassenen bleven een hele poos in de gang staan kletsen en lachen, en toen de dokter de kamer inkwam, draaide hij zich om en glimlachte naar Lena's moeder, zodat hij over de drempel struikelde en bijna de kamer in viel.
'Heb jij soms de waterpokken?' vroeg hij mij toen hij zijn evenwicht weer gevonden had.
'Nee hoor, die heb ik vroeger al gehad,' zei ik trots en wees naar

Lena in bed. Als ik dat niet had gedaan, was de dokter volgens mij bijna boven op haar gaan zitten. Dat had een gil van hier tot Tokio gegeven – reken maar! Nu ging hij gelukkig naast haar zitten en legde zijn hand voorzichtig op haar schouder. Lena werd eerst een beetje wakker, en toen heel erg. Ze keek de dokter aan alsof hij dwars door het plafond was komen vallen, wreef zich in haar ogen en keek nog beter. Toen haalde ze heel diep adem en riep met een stralend gezicht:
'Een papa!'

Het stuk taart dat ik op mijn lepel had, viel terug op het schoteltje.
'Maar mama, ik heb toch al een fiets gekregen!' vervolgde Lena en lachte blij, hoe ziek ze ook was met haar vlekjes en koorts en de hele rataplan.
'Ik... ik ben arts,' stamelde de arme dokter.
'Hé mama, hij is ook dokter! Is dat niet handig?!'
Lena's moeder kwam uit de keuken aangerend.
'Lena, hij is alleen maar dokter,' legde ik uit en ik voelde dat er een grote lach opborrelde. Ik wist niet waar ik hem moest verstoppen, dus liet ik hem gewoon komen, ook al zou dat Lena misschien helemaal razend maken. Maar nee, ze was vast zo uitgeteld van de koorts en de waterpokken dat kwaad worden er niet meer in zat. Ze trok gewoon het dekbed over haar hoofd en viel als een zoutzak terug in bed.

Toen de dokter uitgekeken was op Lena's waterpokken, duurde het nog meer dan een uur voor de volgende pont ging, en Lena nodigde hem uit op haar feestje. Hij heette Isak en vertelde dat hij pas net als dokter was begonnen, en dat hij

zenuwachtig was dat hij de verkeerde ziektes en zo zou vaststellen.
'Maar ik heb in elk geval de waterpokken, toch?' vroeg Lena.
Ja, daar was Isak zeker van. Lena had ongetwijfeld de waterpokken.

Toen hij wilde vertrekken, zag hij de motor in het washok staan. En toen kregen we te horen dat hij ook een motor had, en het eindigde ermee dat de volwassenen zo lang bleven staan praten over motoren dat hij de veerboot bijna niet meer haalde.
'Dát was nog eens een feestje!' zei Lena tevreden toen Isak eindelijk was vertrokken.
Haar moeder glimlachte wonderlijk en knikte.

'Stille nacht, heilige nacht' midden in de zomer

Lena knapte algauw op. En toen ze weer opstond, had ze besloten om keeper te worden. Ze had een voetbalwedstrijd op tv gezien toen ze ziek was.
'De keeper bepaalt alles, Olle. Hij roept naar alle anderen waar ze naartoe moeten rennen.'
Dan leek het me een goed idee dat Lena keeper werd. Ze is het enige meisje in ons voetbalteam en wordt pisnijdig om niets. De andere jongens in het team maken haar vaak met opzet boos, en Lena vindt dat ze in een team speelt met een stelletje ongelooflijke imbecielen.

's Zomers zijn er geen voetbaltrainingen en wedstrijden, maar we voetballen veel, Lena en ik, vooral wanneer de velden pas gemaaid zijn. Alleen nu was de bal weer weg. Ik kon hem nergens meer vinden. Ten slotte moest ik mama vragen of ik een nieuwe kon krijgen.
'Nee, Olle, nu maak je er een potje van. Dit is al de tweede bal die je dit jaar kwijt bent geraakt. Geen sprake van.'
'Maar mama, ik heb echt een bal nodig!' zei ik.

'Dan moet je er zelf een kopen, Olle-manneke.'
Zulke dingen zeggen volwassenen zonder eraan te denken dat dat best moeilijk is voor iemand die arm is.

In de hangmat zat Magnus een spelletje op zijn mobieltje te spelen. Magnus heeft altijd geld. De hele zomer gaan hij en een vriend elke dag met hun gitaren naar de stad. Daar spelen ze in het voetgangersgebied, en mensen gooien geld in een hoed die voor hun voeten staat. Ik keek naar hem en nam een besluit. Ik zou ook naar de stad gaan. Maar Lena moest wel mee.

'Bedoel je dat we gaan staan zingen midden in het voetgangersgebied, zodat iedereen het kan horen?' vroeg ze toen ik binnenkwam en over mijn plan vertelde. Ze had voor zichzelf 'Lena's speciaalontbijt' gemaakt, dat zo ongezond is dat je het alleen maar kunt maken wanneer je alleen thuis bent.
'We moeten op een instrument spelen,' zei ze tussen twee happen in. 'Anders gooit er niemand geld.'
'Maar we kunnen alleen blokfluit spelen,' zei ik.
'Blokfluit is oké,' stelde Lena vast.
En dus werd het dat.

We moesten oefenen. Het was zo lang geleden dat we onze fluiten hadden geprobeerd, dat we bijna waren vergeten dat we ze hadden. We begonnen in onze keuken, maar na een poosje zei mama dat ze naar iets heel belangrijks op de radio moest luisteren, en vroeg ons ergens anders heen te gaan. In de huiskamer hadden we allebei pas één noot gespeeld toen papa verklaarde dat het mooi was, maar dat zijn hoofd op donderdagen helaas niet tegen hoge geluiden kon. Toen liepen we beneden naar opa, maar zijn gehoorapparaat begon te piepen, dus toen moesten we daar ook weer weg. Ten slotte liepen we naar buiten, de hooischuur in en gingen op de oude tractor zitten.

We oefenden en oefenden, maar er was maar één liedje dat ons alle twee lukte, en dat was 'Stille nacht'. Dat hadden we op het kerstconcert op school gespeeld.
'O, ik krijg kippenvel!' zei Lena en vond dat we het hemels speelden.

De volgende ochtend was het stralend weer en vijfentwintig graden. De zee lag erbij als een lichtblauw laken. Je zag alleen een stipje in de verte, dat was opa's boot. Lena en ik renden de hele weg naar de kade en moesten tien minuten wachten op de veerboot. We verstopten de blokfluiten onder onze T-shirts toen we aan boord gingen, maar papa zag ze. Hij trommelde op zijn kaartjestas en keek ons streng aan.
'Ik wil niet één toon horen, hier op de pont, denk eraan! De kapitein kan van slag raken en fout varen,' zei hij.
We beloofden het. En papa vroeg nergens meer naar.

Ik ben gek op onze veerboot. Er is een gokautomaat. Minda weet hoe je moet spelen om te winnen, en Lena hoe je moet verliezen. Er is een trap met leuningen waar je van af kunt roetsjen, en een kiosk met pannenkoekjes met boter en suiker erop. Ze worden gemaakt door Margot. Margot is oud en kan paddenbekken trekken als je er maar lang genoeg om vraagt. Lena en ik zijn vrienden met Margot. Meestal gaan we bij haar zitten wanneer we op papa's werk zijn, maar af en toe rennen we naar het topdek en spugen in zee, en heel soms mogen we in

de stuurhut komen, als ze er daarboven voor in de stemming zijn. Vandaag renden we direct naar Margot.
'Nee maar, daar heb je Ollebol en Lena! God zegene jullie, kinderen. Ik heb jullie de hele zomer gemist!' zei ze toen we bij haar kwamen.
'Ja, maar je hebt toch wel over ons gehoord?' vroeg Lena.
Dat had Margot inderdaad. Ze had het een en ander gehoord, over barken en mest, zo vertelde ze.
'Je moet niet alles geloven wat je hoort,' zei Lena toen.

Papa wilde niet dat we alleen de stad in zouden gaan, maar we bleven zeuren. Magnus was er nu. We wisten waar hij stond te spelen. We konden hem bovendien vanaf de kade al zien staan! Uiteindelijk gaf papa zich gewonnen. Als we beloofden de hele tijd bij Magnus te blijven, mochten we wel een stukje de stad in. Maar we moesten regelrecht terugkomen naar de veerkade. Dat beloofden we. Toen renden we omhoog, het voetgangersgebied in, tot bij Magnus. Hij en Hassan, zijn kameraad, zaten midden in een lied en kregen ons pas in de gaten toen ze klaar waren.
'Wat doen jullie hier?' vroeg Magnus toen en was niet bepaald blij om ons te zien.
'We gaan geld verdienen voor een nieuwe voetbal,' zei ik en wees hem op mijn blokfluit.
Magnus en Hassan keken elkaar aan en begonnen te grijnzen. Ik kon bijna voelen hoe de woede in Lena steeg.
'Wacht jij maar eens af!' brulde ze naar Magnus. 'En we moeten hier bij jou staan, helaas, want dat heeft je vader gezegd!'
Voor iemand nog iets kon doen, trok ze mij mee op een bank vlakbij, trok mijn pet af en gooide die voor ons op de grond.
'Kom op, Olle!'

Ik was vergeten hoeveel mensen er wel niet in een voetgangers-gebied zijn. Ik had het gevoel alsof ik ter plekke zou flauw-vallen.
'Lena, eh, ik weet toch niet zeker of ik het wel wil,' fluisterde ik zonder mijn mond te bewegen.
'Wil je nou die voetbal hebben, of wil je het niet?'
''k Wil...'
'Spelen dan, verdorie!'

Mijn knieën knikten. Mijn beste vriend telde tot drie. En zo stonden we daar, op een bank midden in het voetgangersge-bied en speelden "Stille nacht", zodat Lena er kippenvel van kreeg. Ik keek alleen naar mijn blokfluit. Niemand klapte toen we klaar waren. Mensen liepen straal langs ons heen.
'Nog een keer,' commandeerde Lena genadeloos.
En toen speelden we nog een keer. Mensen hadden het ver-schrikkelijk warm en druk, leek het wel. Maar plotseling was er een mevrouw die de hand van haar man pakte en zei:
'Nee maar, Rolf, moet je zien wat een schatjes!'
Ze bedoelde Lena en mij. We speelden nog een keer, en toen legden de vrouw en de man die Rolf heette twintig kronen in mijn pet. Daarna stonden er meer dan zeventien mensen tege-lijkertijd stil, en wilden het kerstlied horen. Toen kreeg ik weer een beetje het gevoel alsof ik zou flauwvallen, maar ik kneep mijn ogen dicht en dacht aan de voetbal en ook: ik zie wel hoe het afloopt. Iedereen klapte en lachte en riep: 'Bis, bis!' Er ston-den inmiddels drommen mensen om de bank. Lena en ik wa-ren bijna popsterren. Er was zelfs een mevrouw die foto's van ons maakte en vroeg hoe we heetten. Elke keer dat we klaar wa-ren met ons nummer 'Stille nacht' boog Lena diep. En ik knik-

te naar rechts en naar links, net zoals ik papa heb zien doen wanneer hij het gemengd koor dirigeert.

'Nu hebben we wel genoeg,' zei ik ten slotte.
Mijn handen waren helemaal plakkerig van het zweet. Lena keek in de pet en knikte. We zeiden bedankt en tot ziens, en klauterden van ons podium af. De pet was zwaar van het kleingeld. We glimlachten uit de hoogte naar Magnus en Hassan en renden de straat omhoog in, naar de sportwinkel bij het stadhuis. Papa waren we totaal vergeten.

'Jullie komen 42 kronen tekort,' zei de man achter de toonbank toen hij al ons geld had geteld.
Zijn haar stond alle kanten op en zag er heel stug uit. En ook zijn lip stak naar voren. Ik zag dat Lena zich een beetje naar voren boog om te kijken wat hij daaronder had. Het was een chagrijnige man.
'Pfff, 42 kronen, dat is voor ons een fluitje van een cent,' zei Lena.

We gingen op de trap voor de sportwinkel staan. Er waren niet zoveel mensen als in het voetgangersgebied, maar we speelden en speelden en speelden. Op het laatst deden we "Stille nacht" in negentien seconden. Na een tijdje kwam de chagrijnige man naar buiten.
'Hou op met dat gepiep! Jullie jagen de klanten weg!'
'We kunnen nog niet stoppen. We moeten nog...' Lena keek naar mij.
'26,50 kronen hebben,' zei ik.
De man sloeg zijn ogen ten hemel. Toen stopte hij zijn vinger

onder zijn lip en trok er een grote slijmklonter met pruimtabak uit die hij pal voor onze voeten neergooide. Hij smeet de deur achter zich dicht toen hij naar binnen ging.
'Hoog tijd dat die eens naar de rector gaat,' zei Lena streng, en toen begonnen we weer te spelen. We waren pas halverwege toen de winkeldeur weer openging en de chagrijnige man riep: 'Rot op met dat gepiep! Jullie krijgen die bal, ellendige kinderen!'

Toen we weer buiten stonden, met de nieuwe voetbal, dacht ik ineens aan papa.
'O nee hè!' riep ik, en toen zetten we het op een lopen. De pont was al drie keer heen en weer gevaren, en papa was ongeveer zo boos als ik had gevreesd. Hij zwelt als het ware op en wordt roder en roder wanneer hij boos is, papa.
'We zullen het nooit meer doen,' beloofde ik buiten adem.
'Nooit meer doen, nooit meer doen! Jij en Lena doen hetzelfde sowieso nooit twee keer. Jullie verzinnen elke keer gewoon weer iets anders waanzinnigs!'
Lena keek hem lief aan en pakte zijn hand vast.
'Heb je de bal gezien?' vroeg ze. 'Het is een profvoetbal.'
Ik zag dat papa een beetje trots op ons werd. Het was een mooie bal, vond hij en hij wilde hem wel uitproberen. Maar met een kaartjestas en klompen aan is dat makkelijker gezegd dan gedaan. Plotseling vloog de bal in een mooie boog overboord, en zijn klomp erachteraan. Ik sloeg me op het voorhoofd. Hadden we 'Stille nacht' gespeeld tot we bijna crepeerden, en nu schoot papa de bal in zee voor we hem zelfs maar hadden uitgeprobeerd!
'Nee hè, nu moet je zelf maar de zee in duiken en hem gaan halen!' riep Lena kwaad.

Geen haar op papa's hoofd die eraan dacht om ergens in te duiken. In plaats daarvan sprong hij op de kade en mocht het schepnet van een Duitser lenen die daar stond te vissen. En het lukte hem zowaar de bal veilig aan land te krijgen. Alleen zijn klomp verdween in zee. Toen papa iedereen die aan boord was een kaartje had verkocht, kwam hij naar Margot, Lena en mij in de kiosk beneden.
'We vertellen niet aan mama dat jij en Lena vandaag op eigen houtje de stad in zijn gegaan. Afgesproken, Olle?'
Ik beloofde het.

Maar het hielp geen steek. De dag daarop stond er een grote foto van mij en Lena in de krant. De vrouw die ons had gefotografeerd toen we op de bank stonden, was kennelijk journalist.
'Jij bent een slimmerikje, Ollebol,' zei mama en keek op van achter de krant. Ik beloofde om "Stille nacht" voor haar te spelen als ik een keer tijd had.

Lena's knal

Er gebeurt een hoop raars als je zo'n buurtje en beste vriend als Lena hebt, maar soms vind ik de gewone dagen het allerfijnst geloof ik. De dagen dat er niets speciaals gebeurt, ik boterhammen met leverpastei eet en Lena en ik een potje voetballen of naar krabben zoeken of over gewone dingen praten zonder dat er iets uit de hand loopt.
'Bedoel je dat gewone dagen beter zijn dan Kerstmis?' vroeg Lena toen ik probeerde haar uit te leggen wat ik dacht.
'Nee, maar het kan niet elke dag Kerstmis zijn,' zei ik. 'Dan zou de kerst vervelend worden.'
Lena verzekerde me dat het veel vaker kerst zou kunnen zijn zonder dat ze zich ook maar een greintje zou vervelen, en toen was het einde discussie en gingen we voetballen. En terwijl ik in de zon schot na schot op Lena afvuurde, bedacht ik dat dit een mooie en gewone dag was.
'Had ik maar een papa om mee te voetballen. Eentje die écht hard kon schieten,' zei Lena toen ze een van mijn beste schoten had weten te stoppen.
Ik slaakte een zucht.

We namen pauze op het grasveld en Minda, die het balkon aan het verven was, kwam bij ons zitten. Lena en ik glimlachten. Minda is bijna even goed als tante-oma in verhalen vertellen en het gezellig maken. En nu lag ze op haar buik en vertelde ons waarom onze baai Knal-Mathilde wordt genoemd.
'Dat zit zo,' zei ze. 'Op een keer zeilde er een Portugees zeeroversschip hier in de fjord, en op de boeg van het schip was een prachtig boegbeeld geplaatst – de mooie maagd Mathilde.'
'Boegbeeld?' vroeg ik, en Minda legde uit dat een boegbeeld een grote houten pop was met wapperend haar en een mooie jurk, die ze vroeger altijd op de boten vastmaakten.
'En toen stak er een orkaan op, precies hier,' ging Minda verder. 'Een echt ouderwetse en levensgevaarlijke orkaan. Het schip helde over, naar links en naar rechts, zodat het onmogelijk te sturen was, en ten slotte was het één groot spektakel in onze baai. De mooie Mathilde knalde tegen de keien op het strand zodat de stukjes hout alle kanten op stoven – ongeveer op de plek waar we het midzomervuur altijd blussen met de mestsproeier.'
'Hoei!' zeiden Lena en ik bijna in koor.
'De zeerovers keerden nooit meer terug naar huis. Maar ze veroverden vrouwen en vestigden zich hier. En de baai noemden ze dus Knal-Mathilde, naar hun verwoeste boegbeeld dat tegen de strandkeien was geknald.'

Minda boog zich naar Lena en mij toe en fluisterde:
'Een van hen was de betbetbetovergrootvader van opa. Je kunt goed zien dat opa zeeroversbloed in zijn lichaam heeft!'

Een tijdlang kon ik geen woord uitbrengen, want ik dacht aan iets wat superfantastisch voelde.

'Minda,' zei ik ten slotte. 'Dan zit er in mij dus ook zeeroversbloed?'
'Er zit zeeroversbloed in jullie, in de hele familie, behalve in mij, want ik ben een geadopteerde indianenprinses,' lachte ze. Toen liep ze op haar handen weg, het hele stuk omhoog naar huis en het balkonschilderwerk.

Lena pakte de voetbal en gooide hem een paar keer de lucht in, terwijl ik bleef zitten met het gevoel dat ik niet meer dezelfde jongen was als daarnet. Ik had zeeroversbloed in mijn lijf!
'Misschien doe ik daarom wel zoveel verkeerd. Ik kan er niets aan doen. Ik zit vol zeeroversbloed,' zei ik tegen Lena.
'Puh! Dat is zó'n klein beetje dat alles er al uitstroomt bij de eerste de beste bloedneus,' zei ze dwars.
Lena stond zich daar ter plekke vast in te beelden dat ze zelf zeeroversbloed in zich had.

Ik keek uit over zee. Opa was eropuit met zijn boot, en dat was niet zo gek. Hij was zeerover!
'Lena, kunnen we niet een tochtje in de rubberboot maken?' stelde ik voor en voelde dat het zeeroversbloed in mij ook nodig de zee op moest.
Lena keek me teleurgesteld aan, maar trok de keeperhandschoenen uit.
'Oké. Dan was ik Mathilde die knalde.'

Toen Lena even later aan boord van de knalgele rubberboot stapte, had ze de lange, rode jurk van haar moeder onder haar reddingsvest aan, en een majestueuze blik op haar gezicht. Ik betwijfelde of ze in zo'n jurk de zee op mocht varen, maar het was niet anders.

We roeiden om de pier heen. Ik zat me een zeerover te voelen, blij en tevreden, maar Lena die over de boeg hing, begon het al vrij snel te vervelen om een boegbeeld te zijn.
'Nu gaat het stormen,' beval ze.
Ik begon heen en weer te wiebelen, zodat Lena's haar in zee terechtkwam. Ze lag zo stil als een la in een ladekast. Ten slotte draaide ze zich om en vroeg ongeduldig: 'Hé, komt er nou nog wat van die knal?'
Ik haalde mijn schouders op en roeide voorzichtig naar de pier. De boot gleed zachtjes vooruit. Maar op hetzelfde moment kwam opa eraan varen. Zijn boot maakte grote golven, en een zo'n golf gaf de rubberboot zo'n superstoot dat we met een daverende klap tegen het cement smakten.
Rubberboten maken geen lawaai. Koppen van boegbeelden daarentegen heel erg.
'Lena!' brulde ik toen ik zag dat ze levenloos over de boeg hing. 'Opa, Lena is dood!'
Opa kwam zo snel hij kon en trok Lena uit de rubberboot.
'Hé, kleintjebuur, wakker worden,' zei hij en schudde haar voorzichtig door elkaar.
Ik zat met de roeispanen in mijn handen en wist me geen raad. Ik kon alleen maar huilen.
'O...' kermde Lena.
Ze deed haar ogen open en keek naar opa alsof ze hem niet herkende. Toen kermde ze nog een beetje.
'Zo zo,' zei opa, 'we zullen zien dat je bij een dokter komt, oké? En Ollebol, droog je tranen maar. Er is niets aan de hand.'
Lena kwam half overeind.
'Nee, huil vooral, Olle! Jij roeit verdomme als een idioot!'
Nog nooit was ik zo blij geweest dat iemand zoiets lelijks tegen

me zei. Lena was niet stuk geknald, ze leefde nog!

Maar toen begreep Lena dat haar voorhoofd bloedde en begon ze als een gek te gillen. Dat betekende een ritje naar de stad voor een doktersbezoek, en toen ik haar uitzwaaide dacht ik bij mezelf: gewone dagen bestaan eigenlijk niet wanneer je zo'n buurtje en beste vriend als Lena hebt.

Einde van de zomer

Opa staat gewoonlijk op voordat de vogels op aarde schijten, zoals hij dat zegt. Af en toe, in de zomer, lukt het mij ook. Dan hol ik zo hard als ik kan naar zee. Vaak is opa dan al vertrokken en zie ik hem alleen nog als een klein stipje in de verte. Dat is een van de meest trieste dingen die ik ken: op de pier staan met alleen maar meeuwen om me heen 's ochtends vroeg, terwijl het toch niet vroeg genoeg is. Maar heel af en toe haal ik het.
'Nee maar, kijk eens aan, daar is Ollebol!' zegt opa dan, reusachtig blij.
Dat is zo fijn aan opa. Ik weet dat hij even gek op mij is als ik op hem. Bij Lena kom je juist daar zo moeilijk achter.

Deze dag haalde ik het. En voor het zes uur was, waren we al ver op zee, opa en ik. We haalden de visnetten binnen, en zeiden bijna niets. Ik voelde dat het goed was om hem helemaal voor mij alleen te hebben.
'Minda zegt dat we een beetje zeerovers zijn,' zei ik na hem een poosje bekeken te hebben.
Opa rechtte zijn rug, en ik vertelde het hele verhaal over Knal-Mathilde. Toen ik uitverteld was, lachte hij luid.

'Is het niet waar dan?' vroeg ik – ik begon onraad te ruiken.
'Ze liegt dat het een vreugde voor je oren is, onze Minda-pinda,' zei opa onder de indruk. 'Daar kunnen we nog wat van leren, allemaal.'
'Tante-oma zegt dat je niet moet liegen,' zei ik.
'Hm,' zei opa toen en lachte in zichzelf.
'Was het daarom dat je Lena naar de pier toe voer gisteren?' vroeg hij even later.
Ik knikte en plotseling moest ik aan Lena denken die de vorige avond was thuisgekomen met een verband om haar hoofd. Isak had haar weer opgelapt. Daar was ze dik tevreden mee. Wat erger was, was dat ze een kleine hersenschudding had opgelopen en het een hele week rustig aan moest doen.
'O jee,' had mama gezegd toen ze het te horen kreeg.
De vorige keer dat Lena hersenschudding had, had het niet veel gescheeld of iedereen in Knal-Mathilde was knettergek geworden. Rustig aan doen is niet Lena's sterkste kant.

Nu stond ze als een tenger standbeeldje op het uiterste puntje van de pier te wachten tot we weer aan land zouden komen, opa en ik.
'Altijd dat vissen, vissen en nog eens vissen!' zei ze dwars toen we tegen de pier bonkten. Daar stond ze met haar hersenschudding, zo nors dat de hemel ter plekke donker werd.

Arme Lena. Ik wilde heel graag iets zeggen wat haar blij maakte en vertelde dat ik toch geen zeerover was, Minda had het hele verhaal over Knal-Mathilde van A tot Z verzonnen.
'Ben ik helemaal voor niks tegen de pier geknald!' brulde Lena toen en stond te stampvoeten zodat de kiezels opsprongen.

Algauw begreep ik dat het niet alleen door de hersenschudding kwam dat ze zo kwaad was. Lena had de post opgehaald.
'Kijk hier,' zei ze en drukte een folder in opa's buik. 'Ga je de post ophalen en denk je dat je wel een kaart of zoiets zult krijgen als je ziek bent en alles, maar niks hoor! Ligt er alleen maar reclame voor schooltassen!'

Ik keek naar de folder. "Start van het nieuwe schooljaar" stond erop. Lena is gek op de zomervakantie. Naar school gaan, daar houdt ze helemaal niet van.
'Ik ga een winterslaap houden,' jammerde ze. 'En slapen tot de volgende zomer.'
Jee, wat sneu was Lena nu. Niemand zei iets toen we met het vat vis tussen ons in omhoog naar huis begonnen te sjokken.

'Jij bent een geluksvogel, dat je niet naar school hoeft,' mompelde Lena tegen opa toen we weer bij ons huis onder het balkon waren aangekomen. Opa stapte uit zijn klompen en deed zijn deur open. Ja, hij was een ongelooflijke mazzelkont, vond hij zelf ook, hij was het helemaal met Lena eens. En nu zou hij het liefst wafels of zoiets maken om ons een beter humeur te bezorgen.
'Maar ja, het zal toch verse vis met nieuwe aardappels worden.'
'Want wafels, daar bak jij niets van, helaas,' zei Lena, even knorrig als barstensvol hersenschudding.

'Eigenlijk heet onze baai niet Knal-Mathilde,' vertelde opa toen hij het eten klaarmaakte. 'We noemen haar alleen zo omdat hier jaren geleden een vrouw woonde die Mathilde heette. Ze had veertien kinderen en een dode man wiens achternaam

De Knal was. En dus noemden ze Mathilde de Knal ook wel Knal-Mathilde, voor de grap.
'En werd de baai toen ook maar Knal-Mathilde genoemd?' informeerde ik. Opa knikte.
'Dat kun je niet eens naspelen,' zei ik, haast teleurgesteld.
'Nee, gelukkig maar!' flapte Lena eruit.

Na het eten klommen Lena en ik in de hoge cipres en zaten daar zonder iets te zeggen. Ik voelde dat de zomer uit me weg sijpelde, terwijl ik door de takken naar onze baai keek. Het was net alsof alles een beetje veranderd was. De velden waren niet zo groen en de wind was niet zo warm meer. Lena zuchtte haar rekenleszucht.
'O, het is treurig hoe de tijd vliegt,' zei ze ten slotte.

De week daarna begonnen Lena en ik in de vierde klas.[1] Ik vond het wel leuk om weer naar school te gaan, ook al haalde ik het niet in mijn hoofd om dat tegen Lena te zeggen. We hadden een nieuwe lerares gekregen. Ze heette Ellisiv. Ze was jong en had een brede glimlach. Ik vond haar meteen leuk.

Erger was dat Kai-Tommy nog even goed in plagen was als voor de vakantie. Eigenlijk is hij de baas in onze klas. En de klas was volgens hem perfect geweest als Lena er niet in zat, want dan waren we met alleen jongens geweest. Lena wordt meestal zo kwaad dat ze alleen nog maar kan briesen wanneer hij zoiets zegt, maar deze herfst had ze een goed antwoord klaar:

1. De Noorse vierde klas is vergelijkbaar met groep zes van een Nederlandse basisschool.

'We hebben verdomme toch Ellisiv, circuslama die je bent! Is dat dan geen meisje soms?'
Toen snapte ik dat Lena blij was geweest met onze nieuwe lerares, ook al zat ze de eerste vier dagen nors naar Ellisiv te kijken zonder ook maar op één vraag antwoord te geven.
'Ze is heel erg oké hoor, als je eenmaal aan haar gewend bent,' zei ik tegen Ellisiv toen ik op een dag als laatste de klas uitliep. Ik was bang dat Ellisiv Lena helemaal verkeerd zou begrijpen.
'Ik vind jou en Lena allebei oké, hoor. Zijn jullie elkaars beste vrienden?' vroeg Ellisiv toen.
Ik deed een stapje dichterbij.
'De helft van ons in elk geval wel,' fluisterde ik.
Dat vond Ellisiv een mooie start voor een beste vriendschap.

Nu begonnen ook de voetbaltrainingen. En dat gaf een hoop gedoe. Lena vertelde dat ze keeper was geweest en dat ze in het doel van ons elftal zou staan. Dat vond Kai-Tommy het stomste wat hij had gehoord sinds hij Lena voor het laatst had gezien. We konden toch geen meisje in het doel hebben staan! Lena was zo kwaad dat het tot in de bergen bulderde, en onze trainer liet haar een training proefdraaien als keeper. Ze sprong als een kikker rond in het doel. Het lukte niemand om te scoren. En zo werd Lena keeper en toen we voor de cup een weekend in de stad waren, wonnen we het hele toernooi dankzij haar. Lena was zo trots als een pauw.

Ik vertelde tante-oma door de telefoon over de cupwedstrijd. Maar ze interesseert zich geen zier voor voetbal. Ze vindt het klinkklare onzin.
'Hier zit een oude dame met een wafelijzer dat al wekenlang niet

warm geweest is,' klaagde ze. 'Kunnen jullie twee die bal niet eens wegleggen en in plaats daarvan bij mij op bezoek komen?'
Dat konden we best. Ik vroeg het meteen aan papa, en hij zei dat dat mooi uitkwam, want hij zou tante-oma dit weekend gaan ophalen om bij ons thuis te komen.

Het is twintig kilometer naar tante-oma. Papa reed, en Lena werd misselijk, maar ze gaf niet over. Ze was alleen verschrikkelijk bleek.
Tante-oma woont alleen in een klein, geel huis met rozen eromheen. Papa heeft haar al heel vaak gevraagd of ze niet liever bij ons in Knal-Mathilde wil komen wonen. Ik heb het haar ook gevraagd. Maar dat wil tante-oma niet. Ze heeft het fijn in haar gele huisje.

We waren de hele middag bij tante-oma en hielpen met wat er zoal moest worden gedaan. Het was gaan regenen en het begon al donker te worden toen we naar binnen gingen. Tante-oma had de tafel gedekt, en alles zag er zo zacht en vriendelijk uit dat ik een brok in mijn keel kreeg. Bij tante-oma binnen op de bank zitten en wafels eten wanneer het buiten regent, is het beste wat er bestaat. Ik probeerde iets beters te bedenken, en kon niets anders verzinnen.

Terwijl we aten probeerde Lena tante-oma iets over voetbal te leren.
'Het gaat erom hard, knalhard te schieten!' legde ze uit.
'Hmm,' zei tante-oma, niet al te enthousiast.
'Werd er hier veel geschoten toen het oorlog was?' vroeg ik, want tante-oma praat veel liever over de oorlog dan over voetbal.

'Nee, Ollebol, gelukkig niet, maar er waren wel een hoop andere dingen die niet zo prettig waren.'
En toen vertelde tante-oma dat je in de oorlog geen radio mocht hebben, want de Duitsers waren bang dat de Noren elkaar in een radioprogramma zouden opmonteren.
'Maar we hadden toch een radio, wij wel,' zei ze met een listig glimlachje. 'We begroeven hem achter de hooischuur, en groeven hem weer op wanneer we ernaar wilden luisteren.'

De ouders van tante-oma en opa hadden tijdens de oorlog veel wettelijk verboden dingen gedaan, want als het oorlog is, is alles omgekeerd. Dan is wat verboden is, eigenlijk het minst verboden.
'Ik wou dat dat anders ook zo was,' zei Lena, maar dat mochten we niet willen, zei tante-oma. Het was heel gevaarlijk om te worden ontdekt. Als iemand had ontdekt dat haar vader naar de radio luisterde, hadden ze hem weggestuurd.
'Dan had jij ook geen papa meer gehad,' zei Lena.
'Nee, daar zeg je een waar woord,' zei tante-oma en streelde Lena over haar hoofd.
'Waar stuurden ze de mensen die naar de radio luisterden dan naar toe?' vroeg ik.
'Naar Grini.'
'Naar Rimi?' vroeg Lena verbaasd.
'Nee, niet naar de supermarkt. Naar Grini. Zo heette het gevangenkamp in Noorwegen. En dat was geen pretje,' legde tante-oma uit.
Lena keek haar een poosje aan, in gedachten verzonken.
'Hoe bang was jij?' vroeg ze ten slotte.
'Tante-oma is nooit bang,' zei ik voordat ze antwoord kon ge-

ven. 'Want ze heeft Jezus boven haar hoofd als ze slaapt.'

En toen nam ik Lena mee naar de slaapkamer van tante-oma om het haar te laten zien.
'Daar,' zei ik en wees op een schilderij boven haar bed. Op het schilderij zie je een steile bergwand met een lammetje dat op een smalle richel staat en geen kant op kan, niet naar boven en niet naar beneden. Het mamaschaap staat te blaten op de top van de bergwand en is erg bezorgd om haar lam. Maar Jezus is er ook, hij haakt zijn staf vast aan een boom en buigt zich over de afgrond om het lammetje te redden.

Lena hield haar hoofd scheef en bekeek het schilderij lang.
'Is het magisch?' vroeg ze ten slotte.
Dat wist ik niet. Ik wist alleen dat tante-oma nooit bang is, omdat ze Jezus boven haar bed heeft. Ze zegt dat alle mensen lammetjes zijn waar Jezus op past.

Toen we naar huis vertrokken, mocht ik voorin zitten en schakelen. Lena zat samen met tante-oma achterin. Ze werd steeds misselijker, en toen we bijna thuis waren, gaf ze flink over op een hoop aarde met rode klaver.
'Dat komt doordat jij als een idioot schakelt, Olle,' zei mijn beste vriend met een wagenzieke stem toen ze zichzelf weer in de auto had gehesen. Ik deed alsof ik niets hoorde. Het hielp vast niet dat Lena negen wafels met boter en suiker had gegeten, dacht ik.
'Je moet voor morgen wel weer beter zijn, juffie!' zei papa toen we eindelijk thuis waren. 'Want je moet klaar zijn voor het schapen verzamelen.'

Lena en ik sperden onze ogen wijd open.
'Mogen *wij* mee?' vroeg ik bijna roepend.
'Ja, jullie zijn nu zo onderhand wel oud genoeg, dacht ik,' zei papa alsof dat de gewoonste zaak van de wereld was.
Ik wist niet dat je zó blij kon zijn!

Schapen verzamelen en een helikoptertocht

De hele zomer lopen onze schapen in de bergen en doen precies waar ze zin in hebben. Maar voor de winter komt, moeten we ze ophalen en naar de stal brengen.
'Dan is de vakantie verdomme voorbij, ook voor de schapen,' zegt Lena altijd. Ze vindt het onrechtvaardig dat schapen langer zomervakantie hebben dan mensen.

En nu zouden Lena en ik mee mogen! Ik kon het bijna niet geloven toen we de dag erna op het terras stonden. Mijn hele familie, min Krullie, was er. Ook Lena en haar moeder waren er, en oom Tor. Papa had een rugzak om en een cap op, en vroeg of iedereen klaar was. En toen we op pad gingen, de heuvels op, konden Lena en ik zwaaien naar opa, tante-oma en Krullie, in plaats van zelf beneden te staan zwaaien zoals we altijd hadden gedaan. Lena had trouwens helemaal nooit gezwaaid. Wanneer de anderen vertrokken om de schapen te verzamelen, zat ze altijd met de rug naar hen toe en keek zo zuur als een onrijpe rabarberstengel.
Je kon goed merken dat het geen zomer meer was. De lucht

beet in je wangen en de bomen hingen zwaar van het vocht boven onze hoofden toen we langs de boerderij van Heuvel-Jon liepen en in het sparrenbos kwamen. Lena en ik hadden laarzen aan. We sprongen in alle plassen die we op het pad tegenkwamen, als twee konijnen.
'Jullie moeten rustig lopen,' zei papa, 'anders worden jullie alleen maar doodmoe.'
Maar rustig lopen ging niet als je zo blij was. Je voeten sprongen uit zichzelf.

Algauw waren we het bos weer uit en in de bergen. Die zijn bijna plat, en alles ziet er heel anders uit.
'Dat komt omdat we dichter bij de hemel zijn,' zei Lena's moeder en begon samen met Lena en mij van steen tot steen te springen. Wanneer we ons omdraaiden, zagen we de baai ver, heel ver in de diepte. Af en toe kregen we schapen in het oog. De ene keer waren het die van ons, de andere keer die van anderen. Maar we gingen ze vandaag nog niet verzamelen. Eerst zouden we naar de hut om daar te overnachten.

De hut was eigenlijk gewoon een keet, zonder stroom en zonder wc. Maar er is voor een heleboel mensen plek als je vlak naast elkaar gaat liggen. Ik vind het de mooiste hut op aarde. Ze lijkt op tante-oma, want ze ziet eruit alsof ze heel blij wordt wanneer wij komen. Algauw was er aan alle kanten om ons heen berglucht. Binnen bakten mama en oom Tor spek op het gasfornuis, en buiten zorgde papa voor koffie op het vuur.

Papa is helemaal in zijn element als hij in de bergen is. Dan kun je hem dingen vragen die je anders nooit durft, en hij lacht bijna de hele tijd.

'In de bergen kun je niet boos zijn,' legde hij uit toen ik dat tegen hem zei. 'Voel je dat zelf ook niet, Olle?'
Ik checkte mijn gevoel en knikte. Lena vond dat als dat zo was, papa veel vaker de bergen in moest gaan. Ze zat aan de andere kant van hem en staarde in het vuur. Op dat moment had ik Lena graag iets van papa gegeven. Zodat ze voelde hoe het was om er een te hebben – eentje die vuur maakte en bergfan was. Eigenlijk zou ze hem af en toe moeten lenen.
'Ja, elke woensdagmiddag of zo,' zei ze toen ik dat opperde. 'Dan zou ik hem mee naar de bergen nemen om hem uit te laten.'

Toen kwam de schapenverzameldag. Lena en ik zouden samen met oom Tor over een paar bergen lopen die De Pieken heten. Ze zijn aan de ene kant plat, maar aan de andere kant lopen ze steil omlaag. Papa wees en legde van alles uit, hij is jaar in jaar uit bij het schapen verzamelen geweest, al sinds hij net zo oud was als ik.
'Pas goed op de kinderen!' zei hij tegen zijn kleine broer.
'Yes, sir!' antwoordde oom Tor.

Oom is er zo een die met lange stappen loopt, en Lena en ik konden hem nauwelijks bijhouden. Ik geloof dat hij vond dat wij te klein waren om mee te doen, en nu wilde hij laten zien dat hij gelijk had.
'Jij past niet bepaald goed op ons!' riep Lena kwaad toen ze moest stoppen om haar laars leeg te schudden en oom Tor gewoon doorliep.
Hij hoorde haar niet.
'Kom, Lena,' zei ik.

'Nee!'
'Maar we zijn schapen aan het verzamelen!'
'Ja!'
Ze stond stokstijf stil. Ik zuchtte en vouwde mijn capuchon omlaag. En toen hoorde ik het ook. Een zwak, bang geblaat dat eigenlijk bijna geen geblaat meer was.
Lena en ik volgden het geluid. Het kwam van de rand van de berg. We gingen op onze buik liggen en kropen naar voren.
'Oei!' zei ik.
Er stond een schaap op een richel, een stukje lager. Ze had daar vast al lang gestaan. Ze was zo zwak dat ze bijna niet kon blaten. Stel je voor dat wij het niet hadden ontdekt! Ik kroop nog verder naar haar toe en las haar oormerk. 3011 stond er op een geel klemmetje.
'Het is van ons.'
'Ik vraag me af hoe ze daarbeneden is gekomen,' zei Lena en kroop nog verder naar haar toe.
'Waarschijnlijk zo,' zei ik en wees op een kleine, steile kloof die omlaag liep naar de richel. Ik stond op en spiedde over De Pieken naar oom Tor. Hij was weg. Toen draaide ik me om naar Lena, maar zij was ook weg.
Mijn hart begon zo hard te bonken dat het pijn deed.
'Lena,' fluisterde ik.
Geen antwoord.
'Lena!'

'Hier!'
Ik keek verbaasd over de rand.
'Op wie lijk ik nu?' riep ze en keek me vanaf haar plekje daarbeneden opgetogen aan. Ze hing achter een berkje in de klei-

ne kloof en stampte met haar gele laarzen tegen een paar graspolletjes, die op een richeltje in de wand stonden.
'Op jezelf.'
Lena sloeg haar ogen ten hemel. Ze strekte haar vrije hand nog verder de lucht in en probeerde half-en-half het schaap dat een stuk verder omlaag stond te bereiken.
'Ik lijk op Jezus, zie je wel!'
Ik schudde mijn hoofd.
'Jezus had geen rode regenjas aan. Kom nou maar weer naar boven.'
Maar toen wilde Lena al hangend haar regenjas uitdoen.
'Lena, kom weer naar boven!' riep ik bang en kroop naar voren zodat ze mijn hand kon pakken.

Maar op hetzelfde moment dat Lena een stap omhoog deed, raakte de berk los van de bergwand, en met boompje en al en een flinke brul verdween ze uit het zicht.

Al heel wat keren in mijn leven was Lena van hoge dingen omlaag gedonderd, maar zo zeker dat ze dood was als deze keer, was ik nog nooit geweest. Het vreselijke gevoel dat ik in mijn maag had toen ik zo ver als ik durfde naar de rand ging en omlaag keek langs de supersteile kant van de berg, zal ik mijn leven lang niet vergeten.

'Au, au! Mijn hand!' klonk het gejammer ver weg in de diepte. Mijn beste vriend zat op een richel onder het schaap en wiegde heen en weer. Ik was zo opgelucht dat ik wel kon janken.
'O, Lena.'
'O Lena, o Lena! Ik heb mijn hand gebroken!' riep ze razend.

Ik kon wel zien dat ze enorm veel pijn had, maar ze huilt nooit, Lena. Zelfs nu niet.

Kon ik iemand maar uitleggen hoe hard ik die dag heb gehold! Ongelooflijk dat een oom zo ver kan lopen zonder ook maar één keer om te kijken! Ik was als de dood dat Lena het zat zou worden om op haar bergrichel te zitten en zou gaan klimmen. Typisch iets voor haar! Ik rende zo hard dat ik een bloedsmaak in mijn mond kreeg, en al die tijd zag ik Lena voor me met haar rode regenjas in een vrije val, als een boze, kleine superman. Ik begreep toen, plotseling: als er iets met Lena gebeurde, zou ik ook niet langer kunnen leven, echt niet. Waar was oom Tor? Ik riep en holde en viel en riep. En holde weer door. Helemaal tot de uiterste Piek, waar de bergen minder steil werden. Daar vond ik eindelijk onze oom, en toen was ik zo bang en zo boos dat ik alleen nog maar gilde.

'Als het zo is dat je dan elke keer met een helikopter mag vliegen, ga ik vaker van De Pieken vallen,' zei Lena toen we een paar dagen later in de cipres zaten. Ze was helemaal opgetogen over alles wat er was gebeurd – vooral omdat ze was opgehesen door een helikopter.
'En toen gingen mama en Isak en ik naar het café, nadat ik gips had gekregen. Want nu was ik zo vaak bij de dokter geweest dat het moest worden gevierd, zeiden ze.'
Lena lachte en bonkte op haar gips.
'Zou jij ook niet willen dat je van De Pieken af was gevallen, Olle?'

Ik glimlachte, maar zei niets. Eigenlijk geloof ik niet dat Lena begreep hoe bang ik was geweest om haar te verliezen als ze omlaag getuimeld was. Van De Pieken af, helemaal naar beneden. Ik was ook niet in staat om het te zeggen. Maar toen ik 's avonds naar bed ging, kwam er een best trieste gedachte in me op die ik niet kon onderdrukken: Lena was zeker niet zo bezorgd om mij geweest als ík daar op die richel had gezeten.

Lena slaat

Op een dag kwam Isak plotseling op bezoek zonder dat er iemand ziek was. Hij draaide zijn motor het erf op terwijl Lena en ik croquet speelden. Lena raakte zo in de war dat ze een bal de heg in sloeg. Zoiets maakt haar allemachtig kwaad.
'Ik mankeer toch niets,' zei ze nors tegen Isak.
Isak vond het prima dat Lena niets mankeerde. Het was wel een beetje abnormaal, zei hij, maar helemaal goed. En toen vertelde hij dat hij een onderdeel bij zich had voor de halve motor in het washok.
'Mama is nog niet thuis. Heeft ze dat besteld?' vroeg Lena wantrouwend.
'Nee, het is een verrassing,' zei Isak.
Hij zag er een beetje opgelaten en zenuwachtig uit. Ik wist wel dat ik dat ook zou zijn geweest als ik per verrassing op bezoek zou komen en de eerste die ik tegenkwam, Lena was met haar croquethamer.
'Je kunt best met ons meespelen tot ze komt,' flapte ik eruit nog voordat Lena iets kon zeggen.
Dat wilde Isak graag. Lena was een ogenblik helemaal stil, maar toen zag ik dat ze ineens weer aan de bal in de heg dacht.

'Pfff, dan moeten we weer helemaal opnieuw beginnen!' mompelde ze tevreden en ging hem uit de heg vissen.

Sindsdien kwam Isak vaak. De halve motor bij Lena thuis begon ten slotte op een hele te lijken. Lena zei de eerste weken geen woord over hun gast. Ze deed net alsof Isak niet bestond. Maar op een dag, toen we in de cipres zaten te kijken naar hem en haar moeder die sparrentakken in het bloemperk legden, zei Lena:
'Hij lust geen gekookte kool.'
Ik bukte me een beetje zodat ik beter tussen de takken door kon kijken.
'Is die kool nou zo'n punt, Lena?'
Lena haalde haar schouders op. Ik zag dat ze grondig nadacht.
'Maar waar gebruik je papa's dán voor, Olle?'
Ik kon zo gauw niets bedenken, en kreeg bijna een slecht geweten vanwege de mijne.
'Gekookte wortels eet hij ook hoor, papa,' zei ik ten slotte, om toch iets te zeggen.

Dat deed Isak ook, wist Lena mij de dag daarna stralend te vertellen. Ze had hem met drie gekookte wortels opgescheept boven op de zijne. Opa lachte en zei: 'Arm schepsel.' En toen holde Lena weer weg, want het arme schepsel was nog steeds op bezoek. Ik keek haar na toen ze door het gat in de heg verdween.
'Ik geloof dat Lena het leuker vindt om bij Isak te zijn dan bij mij,' zei ik tegen opa.
Hij probeerde een gat in een sok te stoppen. Opa lijkt op een uil wanneer hij zijn bril op heeft.
'Het is goed voor Lena om een Isak te hebben. Au! Dus daar moet je tegen kunnen, Ollebol.'

'Ja,' zei ik toen ik even had nagedacht.
Meestal heeft opa helemaal gelijk.

Ik weet niet of het door de wortels kwam, maar Lena was deze dagen zo blij dat het leek alsof ik een soort vlinder als buurtje had. Zoiets is raar als je er niet aan gewend bent.

Maar toen, plotseling, op een woensdag eind november, was ze weer helemaal de oude. Alleen veel bozer. Ik merkte het meteen toen we elkaar opwachtten om naar school te gaan. Ze zei geen hoi. En dat is een voorteken van gevaar. Het was bijna goed om te zien dat ze weer zo kon zijn. Dat is normaler. Ik zei niets, want dat is niet slim. Niemand moet het in zijn hoofd halen om iets tegen Lena te zeggen wanneer ze zo is. Maar Kai-Tommy deed het toch. Zoals altijd. En deze keer zou hij er spijt van krijgen.

Het gebeurde in de middagpauze. De meesten waren klaar met eten en op weg naar buiten. Ellisiv zat nog aan haar lessenaar te schrijven. Toen Lena langs Kai-Tommy liep, zei hij zo zachtjes dat Ellisiv het niet hoorde:
'O, waren we in onze klas maar van de meisjes af.'
Lena draaide zich razendsnel om. Ik voelde allemaal speldenprikjes in mijn rug, van onder tot boven. De andere jongens hadden ook in de gaten dat er elk moment iets kon gebeuren, want plotseling keek iedereen naar Lena en Kai-Tommy. Lena stond daar, dunnetjes als een sneetje knäckebröd, met haar scheve staartjes, en was zo boos dat ik mijn adem inhield.
'Als je dat nog één keer zegt, dan sla ik je helemaal tot appelmoes!' brieste ze.
Kai-Tommy glimlachte vals, bukte zich naar haar toe en zei:

'O, waren we in onze klas maar van de meisjes af.'
Toen klonk er een knal. Lena Lid, mijn beste vriend en buurtje, gaf Kai-Tommy een dreun midden in zijn gezicht zodat hij in een boog wegschoot, tot aan de lessenaar waar Ellisiv zat. Het was net een film. Ik heb het gezien, ook al mag ik eigenlijk niet naar films voor 15+ kijken. En Lena deed het – Léna! Ze sloeg met de hand die nog maar net uit het gips was gekomen, een klap waarover nog wekenlang werd gepraat.

Afgezien van het gekreun van Kai-Tommy op de vloer werd het doodstil. We waren allemaal geschokt – Ellisiv ook. Dat was eigenlijk niet zo gek. Het scheelde maar een haartje of ze had een hele leerling op haar hoofd gekregen. Maar toen Lena naar de deur liep en naar buiten wilde gaan, riep onze lerares met een boze stem:
'Lena Lid, waar gaat dat heen?'
Lena draaide zich om en keek Ellisiv aan.
'Ik moet bij de rector komen,' zei ze.

Toen we die dag op een sukkeldrafje naar huis liepen, had Lena zoveel op haar falie gekregen als ze maar kon krijgen, maar ze had geen sorry tegen Kai-Tommy gezegd. Ze had trouwens wel sorry tegen de rector gezegd, zei ze, en dat was beslist meer dan genoeg. Ze had een briefje bij zich voor thuis, dat hield ze onder haar jas, samen met haar hand.
'Iedereen vindt het super dat jij in onze klas zit, Lena. Ze vinden dat jij het stoerste meisje van de hele school bent. Dat hebben ze zelf gezegd,' vertelde ik.
Daar was geen woord van gelogen. Alle jongens hadden die dag mooie dingen over Lena gezegd.

‘Het heeft toch geen zin,’ zei Lena triest.
‘Hoe bedoel je?’
Daar gaf Lena geen antwoord op.

Toen we thuiskwamen, was Isak er. Dat kwam goed uit, want Lena’s hand deed verschrikkelijk pijn.

‘Hij heeft zo’n harde kop, die Kai-Tommy,’ vertelde ze terwijl ze Isak de brief gaf. Hij gaf hem door aan Lena’s moeder.
‘Oef, Lena van me, wat ben je me toch voor kind,’ zei haar moeder.
Isak dacht dat er weer een barst in Lena’s hand zat.
‘Hij moet een heel eind gevlogen zijn, die Kai-Tommy,’ zei hij, behoorlijk onder de indruk.
Toen mat ik op de keukenvloer de lengte van Kai-Tommy’s luchtreis op voor Isak, en deed er een paar stappen bij om extra lief voor Lena te zijn.

Sneeuw

Het is moeilijk te weten wanneer de winter komt, want hij komt zo stilletjes. Maar wanneer mama zegt dat ik mijn legging aan moet doen, duurt het niet lang meer. En nu was de leggingdag gekomen. Het voelde meteen akelig aan. In elk geval toen ik mijn spijkerbroek erover aan had. Ik liep drie rondjes om het huis om eraan te wennen voordat ik bij Lena aanbelde.
'Ben jij al met je legging begonnen?' vroeg ik.
Dat was Lena niet. Zij mocht wachten tot de sneeuw kwam.

Toen we buiten een beetje op onderzoek uit waren geweest, merkten we dat het niet lang meer kon duren tot ook Lena haar legging aan moest doen. Er lag ijs op de modderplassen. En achter de fjord had God poedersuiker op de hoogste bergtoppen gestrooid.
'Ik verheug me op de sneeuw,' zei ik tegen Lena.
Ja, best leuk, was Lena's reactie. Ze was deze dag ook al niet in een superhumeur. Ik begreep niet wat er momenteel mis was. Lena raakte van sneeuw altijd door het dolle heen. Maar ik wilde niet zeuren. Dat had vast en zeker niet geholpen.

’s Middags mocht ik weer met papa mee naar tante-oma. Tante-oma verheugde zich niet op de sneeuw, vertelde ze, want sneeuw schuiven kan ze niet. Ze is ook zo oud. Ik denk dat ik de winter nog fijner had gevonden als ik dat ook niet kon. Sneeuw moet er mogen liggen tot hij uit zichzelf verdwijnt, vind ik. Of tot papa hem weg schuift.

Tante-oma vertelde verhalen terwijl ik en papa wafels aten. Ze waren bijna nog lekkerder dan anders, omdat het buiten zo koud was. Ik zat met mijn benen opgetrokken op de bank, dicht tegen tante-oma aan, en had het zo naar mijn zin dat het bijna pijn deed. Tante-oma heeft het grootste en warmste hart dat ik ken. Mijn hele tante-oma heeft hooguit één foutje, namelijk haar breisels. En nu is het bijna kerst. Toen tante-oma naar de keuken ging om nog meer wafels te halen, keek ik gauw in de mand achter de bank. Daar lag haar breiwerk. In grote hopen. Ze geeft ons altijd gebreide dingen als kerstcadeau. Gek dat zij die zo verstandig is, niet begrijpt hoe verschrikkelijk het is om in een gebreide trui te lopen. Het kriebelt en het ziet er gek uit. Ik wil veel liever cadeaus die je in speelgoedwinkels koopt, maar van zulke moderne spullen heeft tante-oma geen verstand, ook al heb ik ze haar al duizend keer proberen uit te leggen.

Voor we vertrokken, liep ik de slaapkamer in en keek naar het Jezus-schilderij boven het bed. Tante-oma kwam ook binnen, en ik vertelde haar hoe Lena had geprobeerd om voor Jezus te spelen toen ze van De Pieken af naar beneden viel. Terwijl ik het verhaal vertelde, wist ik ineens weer hoe bang ik was geweest.

‘Ik ben vaak bang om Lena te verliezen,’ vertelde ik. ‘Maar ik geloof niet dat zij bang is om mij te verliezen.’
‘Misschien weet Lena wel dat ze niet bang hóéft te zijn om jou te verliezen,’ zei tante-oma. ‘Jij bent zo’n trouwe kerel, Olle.’
Ik checkte dat bij mezelf, en voelde dat ik trouw was.
‘Is het waar dat jij nooit bang bent, tante-oma?’

Tante-oma legde haar hand op mijn nek en aaide me een beetje. ‘Af en toe ben ik misschien een beetje bang, maar dan kijk ik gewoon naar het schilderij en dan weet ik weer dat Jezus op me past. Het is niet nodig om bang te zijn, Ollebol. Je schiet er niets mee op.’
‘Het is een mooi schilderij,’ zei ik en beloofde om terug te komen wanneer er sneeuw kwam. Ik kon sneeuw schuiven, ook al vond ik het vervelend. Toen kreeg ik een rimpelige, lekkere tante-oma-omhelzing en ze beloofde me een stapel wafels, of ik nu sneeuw zou schuiven of niet.

Zondag kwam de sneeuw.
En zondag ging tante-oma dood.

Mama wekte me om het te vertellen. Ze zei eerst dat het sneeuwde, en toen dat tante-oma dood was. Dat was de verkeerde volgorde. Het was beter geweest als ze eerst had gezegd dat tante-oma niet meer leefde, en me daarna had opgevrolijkt met de sneeuw. Er ging iets helemaal kapot in mij. Ik bleef nog minutenlang op mijn kussen liggen terwijl mama me over mijn haar streelde.

Het werd een gekke dag. Zelfs papa en opa huilden. Dat was het ergste. De hele wereld was veranderd, want er was geen tante-oma meer. En buiten lag er sneeuw.

Ten slotte deed ik mijn gewatteerde pak aan en liep naar de stal. Daarachter ging ik plat op de grond liggen. Mijn gedachten dwarrelden rond als sneeuwvlokjes, en in mijn hoofd was het een complete chaos. Gisteren had tante-oma nog net zo hard geleefd als ik, en vandaag was ze helemaal dood. Stel je voor dat ik ook doodging. Dat kan gebeuren met kinderen. De achterneef van Lena ging dood bij een verkeersongeluk. Hij was pas tien jaar. De dood is bijna zoiets als sneeuw, je weet niet wanneer hij komt, ook al komt hij meestal 's winters.

Plotseling was Lena er. Ze had haar groene gewatteerde pak aan.
'Ik ben met mijn legging begonnen! Wat lig jij hierachter nou te doen? Je ziet eruit als een dooie pier.'
'Tante-oma is dood.'
'O...'
Lena ging in de sneeuw zitten en was even stil.
'Was het een hart-intact?' vroeg ze na een poosje.
'Hartinfarct,' antwoordde ik.
'Ships,' zei Lena. 'Net nu er vandaag sneeuw is en alles.'

'Vaak is het moeilijk te begrijpen dat mensen dood zijn,' legde mama 's avonds uit. Het holletje van haar arm was warm en veilig. Ze had gelijk. Ik kon het absoluut niet begrijpen. Het was gek om tante-oma nooit meer te zien.
'Je mág haar nog wel een keer zien, als je wilt,' zei mama.

Ik had nog nooit een dood mens gezien. Maar op dinsdag mocht ik tante-oma zien. Ik zag ertegen op. Lena zei dat alle doden blauw zien in hun gezicht, vooral de mensen die door een hart-intact zijn gestorven. Ik geloof dat Magnus en Minda er ook tegen opzagen. Alleen Krullie, die op papa's rug zat, lachte gewoon.

Maar het was niet griezelig. Tante-oma was niet blauw. Ze zag eruit alsof ze sliep. Het leek alsof ze elk moment haar ogen weer kon opendoen. Misschien was dat hele doodgaan wel gewoon een vergissing? Ik stond lang naar haar oogleden te kijken. Ze bewogen zich niet. Stel je voor dat ze ze kon openen, mij aankijken en zeggen: 'Nee maar, Ollebol, wat zie jij er mooi uit!' Ik had me mooi gemaakt, ook al was tante-oma dood en zag ze geen sikkepit. Voor we wegliepen, pakte ik haar hand vast. Ze was koud. Bijna zo koud als sneeuw. Hartstikke dood.

De begrafenis was op donderdag, maar naar een begrafenis was ik al eens eerder geweest. Lena mocht mee. Ze had tante-oma immers ook gekend. Ik geloof dat Lena de begrafenis behoorlijk saai vond. Het lukte me maar niet om te huilen.
'Nu is tante-oma in de hemel,' zei mama toen we thuiskwamen. Juist dat was moeilijk te geloven, vond ik, want op het kerkhof begroeven ze de kist in de aarde.

'Is het waar, opa,' vroeg ik even later, 'dat tante-oma in de hemel is?'
Opa zat in zijn schommelstoel en keek strak voor zich uit, met zijn mooie pak aan.
'Ja, dat is zo waar als één plus één twee is, Ollebol. Nu hebben

de engelen het fijn daarboven. En hier zitten wij...'
Hij zei niets meer.

Er heerste verdriet in Knal-Mathilde. Heel begin december was stil en gek, en vol bloemboeketten. We misten tante-oma. Ten slotte sloeg Lena zo hard met de deur bij ons thuis dat het dreunde als vanouds. En ze zei dat ik nu verdomme buiten sneeuwballen moest komen gooien.
'Jij hebt toch niet ook een hersenschudding?'
Ze stond van top tot teen knorrig te zijn, daar in haar gewatteerde pak.

En toen gingen we sneeuwballen gooien, Lena en ik. Dat deed me eigenlijk best goed. Daarna had ik zin om met Lena mee naar huis te gaan, want dat was zo lang geleden.
'Je mag niet komen,' zei ze hard.
Ik was heel verbaasd, maar het gezicht van mijn buurtje zag er enorm resoluut uit, dus vroeg ik niets meer. Misschien had ze wel een supergroot, geheim kerstcadeau daarbinnen?

Het werd dit jaar ook Kerstmis, maar alles was anders, omdat tante-oma niet op bezoek was. Niemand zat op haar plaats aan tafel, niemand vouwde het kerstcadeaupapier op en zei dat het zonde was om zo'n mooi papier weg te gooien, niemand zong schel en oudedamesachtig toen we om de kerstboom liepen, en máma moest ons dit keer rond de kerstkrib roepen om het kerstevangelie voor te lezen. En ik kreeg geen gebreide trui. Ongelooflijk dat je zoiets erg kon vinden!

Later op de avond kwam Lena op bezoek om 'prettige kerst' te wensen. We liepen naar boven, naar het kabelbaanraam. Het viel me op dat Lena de gordijnen op haar kamer dichtgetrokken had. Wat, o wat mocht ik van haar niet zien? Ik had doodgewone beenbeschermers van haar gekregen voor de kerst, dus zoiets kon het niet zijn. Nu was het al bijna twee weken geleden dat ik voor het laatst bij hen op bezoek was geweest.
'Is de hemel boven de sterren?' vroeg Lena vóór ik de kans kreeg iets te vragen.
Ik keek omhoog en zei dat ik dacht van wel. Tante-oma slofte vast ergens daarboven rond, samen met de engelen en Jezus. Ze had hun zeker gebreide truien gegeven voor de kerst.
'Ze hebben nu vast jeuk tussen hun vleugels,' zei ik. 'De engelen dus.'
Maar Lena had niet bepaald medelijden met de engelen.
'Ze eten vast ook wafels,' stelde ze vast.

Toen viel me iets in wat ik Lena niet had verteld:
'Ik heb iets geërfd. Ik mocht één ding kiezen in het huis van tante-oma dat alleen van mij is.'
'Mocht je tussen álle dingen kiezen?' wilde Lena weten.
Ik knikte.
'Wat heb je dan gekozen? De bank?'
'Ik heb het Jezus-schilderij gekozen. Het hangt boven mijn bed. Dus nu hoef ik niet meer bang te zijn.'
Lena was een hele poos stil. Ik had gedacht dat ze me zou plagen omdat ik niet de bank of iets anders groots had gekozen, maar dat deed ze niet. Ze drukte haar neus tegen de ruit, meer niet, en trok een merkwaardige grimas.

De treurigste dag in mijn leven

Ik dacht dat nu tante-oma dood was, het heel, héél lang zou duren voor er weer iets treurigs zou gebeuren. Maar het pakte anders uit.

'Gaat het wel goed met je, Ollebol?' vroeg mama op derde kerstdag 's avonds. Ze kwam bij me zitten toen ik voor mezelf een boterham met leverpastei had gemaakt.
'Ja hoor,' zei ik glimlachend.
'Maar het wordt wel leeg voor je, mijn jongen, wanneer Lena vertrekt.'

Het stukje brood in mijn mond ging ter plekke dood, zo voelde het.
'Hoezo vertrekt?' zei ik zonder adem te halen.
Mama staarde me aan alsof ik van een andere planeet kwam.
'Heeft Lena je niet verteld dat ze gaat verhuizen? Ze zijn al wekenlang aan het inpakken!'

Mama was totaal verbijsterd. Ik probeerde het stukje door te slikken, maar het bleef liggen waar het lag. Mama pakte mijn hand en kneep er hard in.

'Ach, Olleke van me. Wist je dat niet?'
Ik schudde mijn hoofd. Mama kneep nog harder in mijn hand, en toen vertelde ze, zonder dat ik ook maar één woord kon uitbrengen, dat Lena's moeder nog een half jaar naar de kunstacademie terug zou gaan. Die had ze niet afgemaakt voordat Lena werd geboren. En nu had ze te horen gekregen dat ze weer op de school was aangenomen, daarom zouden ze naar de stad verhuizen. Ze zouden vlak bij Isak gaan wonen. Misschien kreeg Lena gauw weer een echte papa?

Ik zat met het leverpasteistukje in mijn mond en kon het niet doorslikken, en ook niet uitspugen. Zou Lena gaan verhuizen? Zou ze bezig zijn te verhuizen zonder me zelfs maar te waarschuwen? Zoiets kon je toch niet doen! Ik zag dat mama verschrikkelijk verdrietig voor me was. En dat snapte ik heel goed!

Dus daarom had ik niet binnen mogen komen! Ik stond zo abrupt op dat de keukenstoel omkiepte, stapte in Magnus' schoenen en gaf een klap tegen de heg terwijl ik door het verdomde gat liep. Het was zo donker dat ik struikelde op de trap voor Lena's deur en het leverpasteistukje in mijn verkeerde keelgat schoot. Hoestend en woest smeet ik de deur open, net zoals Lena dat altijd doet, en stampte naar binnen.

Overal stonden kartonnen dozen. Achter één ervan dook Lena's moeder verbaasd op. We bleven staan en keken elkaar aan. Plotseling wist ik niet meer wat ik moest zeggen. De kartonnen dozen waren zo gek. Het huis van Lena leek niet meer op zichzelf.

In de keuken zat Lena, maar eten deed ze niet. Ik liep naar haar

toe. Eigenlijk was ik van plan geweest om te brullen, precies zoals zij dat altijd doet. Ik zou zo hard roepen dat het door de halflege keuken schalde, roepen dat je het niet kon maken om te verhuizen zonder eerst te waarschuwen! Ik had mijn mond al opengedaan om het ook echt te doen, maar toen ging het toch niet. Lena zag er ook niet meer uit als zichzelf.
'Ga je verhuizen?' fluisterde ik ten slotte.

Lena draaide zich om en keek uit het keukenraam. Daar was mijn spiegelbeeld. We keken elkaar aan in de donkere ruit, toen stond Lena op en liep op haar tenen langs me heen. Ze verdween in haar eigen kamer en deed de deur stilletjes dicht.

Lena's moeder liet alles wat ze in haar handen had los.
'Wist je het niet, Olle?' vroeg ze en zag er nog meer verbijsterd uit dan mama. Er hing een stukje plakband in haar haar. Ze stapte over de kartonnen dozen heen en sloeg allebei haar armen om me heen.
'Het spijt me zo! We komen jullie hartstikke vaak opzoeken. Dat beloof ik. Het is niet ver naar de stad.'

De rest van de week zaten Lena en ik ieder in ons eigen huis te wachten.
'Moet je niet nog wat met Lena gaan spelen voor ze vertrekt?' vroeg mama meerdere keren. En ik voelde dat ik de enige in de hele wereld was die Lena begreep. Natuurlijk konden we nu niet spelen.

Op oudejaarsdag hadden we een afscheidsfeest bij ons thuis, met massa's eten en vuurpijlen. Isak was er ook. Ik kon niet praten, niet met hem en niet met Lena. Lena praatte met niemand trouwens. Ze deed de hele avond niets anders dan er boos uitzien. Haar mond was een dun streepje en werd alleen een ronding als opa in elke wang een vinger zette en drukte, zodat hij een chocolaatje in haar mond kon stoppen.

Toen de verhuisauto kwam, stond ik in het kabelbaanraam en keek hoe de mannen, Lena's moeder en Isak alle kartonnen dozen uit het witte huis droegen. Pas op het allerlaatst kwam Lena naar buiten. Ik had me afgevraagd of ze haar ook moesten dragen, maar ze liep zelf en ging in Isaks auto op de achterbank zitten. Ik voelde nú, nú moest ik naar buiten gaan, maar eerst liep ik naar mijn kamer en haalde het Jezus-schilderij van de muur.

Lena keek me niet aan. Er zat een dikke autoruit tussen ons in. Ik tikte erop en was verrast toen ze de ruit omlaag draaide. Weliswaar maar op een kiertje, maar dat was precies groot genoeg om Jezus naar binnen te persen. En precies groot genoeg voor mij om 'dáhág!' te zeggen, maar vast te klein voor Lena om het te kunnen zeggen.
'Dáhág,' fluisterde ik nog een keer, terwijl Lena mijn erfschilderij stevig vastpakte en zich nog verder van me af draaide.

Toen reden ze weg.

Die avond wist ik me geen raad van verdriet. Inslapen was absoluut onmogelijk. Papa snapte dat, want hij kwam naar mijn kamer, lang nadat hij welterusten had gezegd. Hij had zijn gitaar bij zich.

Ik zei niets. Papa, op de rand van mijn bed, ook niet. Maar even later schraapte hij zijn keel en begon te spelen. Hij speelde het Olle-wijsje voor me, net als toen ik nog heel klein was. Dat lied is van mij alleen, en papa heeft het zelf gemaakt. Toen hij klaar was, vertelde hij dat hij die dag een heel nieuw lied voor me had gemaakt, het heette: 'Trieste zoon, trieste vader.'
'Wil je het horen, Olle?'
Ik knikte flauwtjes.

En terwijl de winterwind zich om het huis krulde en alle anderen sliepen, speelde mijn papa 'Trieste zoon, trieste vader' voor mij. Ik kon hem bijna niet zien, want het was pikkedonker. Ik luisterde alleen maar.

En plotseling snapte ik waar je papa's voor hebt.

Toen hij klaar was, snikte ik het uit. Ik huilde omdat Lena geen papa had, en omdat tante-oma dood was, en omdat mijn beste vriend verhuisd was zonder 'dag' te zeggen.
'Ik sta nooit meer op!'
Dat was geen enkel punt, zei papa, hij zou me gewoon eten boven brengen, al bleef ik zo liggen tot aan mijn belijdenis. Toen huilde ik nog harder, want het zou een vreselijk leven worden.
'Word ik nu nooit meer blij?' vroeg ik.
'Natuurlijk word je weer blij, Ollebol,' zei papa en tilde me op zijn schoot alsof ik een klein kind was. Daar viel ik die avond in slaap, en ik hoopte dat ik nooit, nooit meer wakker zou worden.

Opa en ik

De dag daarna stond ik weer op.
'Waarom zou ik blijven liggen?' zei ik tegen opa, en hij was het er gloeiend mee eens.
'Nee, het helpt niet om er bij te gaan liggen, bolleke.'

Maar ik was niet blij, al zag ik er na een paar dagen misschien wel zo uit. Ik liep weer rond en probeerde te glimlachen wanneer iemand aardig voor me was, want dat waren ze allemaal, maar vanbinnen was ik alleen maar verdrietig. Soms stopte ik met wat ik aan het doen was en vroeg me af hoe alles zo snel kon veranderen. Nog maar kort geleden was Knal-Mathilde vol van tante-oma-wafels en Lena-geluiden geweest, en plotseling was bijna alles waar ik zo gek op was, helemaal weg. Ik had niemand om mee naar school te lopen, niemand om mee te spelen behalve Krullie, en niemand om mee in het kabelbaanraam te zitten. In plaats daarvan zat er binnen in mij een grote brok die pijn deed en nooit verdween. Die brok kwam vooral doordat Lena weg was, voelde ik. Dat veranderde alles. De bomen waren niet langer om in te klimmen, en mijn voeten wilden niet hollen. Ze moet ook iets met het eten te maken hebben gehad, want plot-

seling was er niets meer wat me nog smaakte. Of ik nou een boterham met leverpastei at of ijs, het smaakte allemaal hetzelfde. Ik ging me bijna afvragen of het soms de bedoeling was dat ik zou stoppen met eten. Toen ik dat aan opa vertelde, stelde hij voor dat ik dan gekookte kool en levertraan zou gaan eten.
'Die kans moet je niet laten lopen, jongen!'

Opa was overigens het beste wat er nog in mijn leven bestond. Hij begreep alles, zonder te zeuren. En bovendien liep hij net zo te missen als ik. Iedereen was aan het missen. We misten tante-oma, we misten Lena, en we misten Lena's moeder. Maar opa en ik misten het meest. De hele dag was niets anders dan gemis, vanaf het moment dat we opstonden tot we gingen slapen.

Toen er een hele week voorbij was gegaan en ik de eerste vrijdag zonder Lena had meegemaakt, zaten opa en ik aan zijn kleine keukentafel te luisteren naar de wind. Ik was naar school geweest en heen en terug gelopen in mijn eentje. Toen ik thuiskwam, was ik kletsnat van de natte sneeuw en tranen. Opa was de enige die binnen was, en nu had hij warme koffie gezet. Ik kreeg tien suikerklontjes en een half kopje. Opa kent geen grenzen. Tien suikerklontjes! Ik vertelde hem over mijn dag. De jongens uit mijn klas vonden het een stuk saaier op school nu Lena weg was. De klas was stil en raar geworden, en lang niet zo perfect als Kai-Tommy zich had voorgesteld zonder meisjes. Ik zei een tijdje niks en peuterde aan de suikerklontjes. Alleen de gedachte dat Lena nooit meer in mijn klas zou zitten, was zo triest dat er een knoop in mijn maag kwam.

'Opa, ik mis haar zo verschrikkelijk,' zei ik ten slotte en begon weer te huilen.

Toen keek opa me ernstig aan en zei dat mensen missen het mooiste verdrietige gevoel is dat er bestaat.
'Begrijp je, Ollebol, dat als je verdrietig bent omdat je een ander mens mist, dat betekent dat je gek op die ander bent? En gek zijn op iemand, is het mooiste wat er bestaat. Mensen die we missen, zitten binnen in ons.' Hij gaf zichzelf een flinke klap op zijn borstkas.
'O...' zei ik en wreef met mijn mouw over mijn ogen. 'Maar opa, je kunt niet spelen met mensen die hierbinnen zitten,' zuchtte ik en sloeg mezelf ook op de borstkas.
Opa knikte zwaar, hij begreep het.

We zeiden niets meer, opa en ik. De wind stoeide rondom het huis en maakte een hoop kabaal. Ik had geen zin om naar buiten te gaan en in mijn eentje sleetje te rijden.

Toen ik weer naar boven kwam, had mama mijn lievelingseten gemaakt. Dat was al de derde keer in één week. Misschien had ik haar moeten zeggen dat mijn smaak weg was, toch liet ik het maar zo. Toen ik naar bed ging, voelde het alsof ik mijn lachspieren had verrekt. Ze waren helemaal uitgeput.
'Lieve God, zorg alsjeblieft dat mijn smaak terugkomt,' bad ik.

Door de verdrietbrok in mijn buik kon ik niet slapen. Dus lag ik te luisteren naar het rotweer. Plotseling knalde er iets tegen de ruit.
'Help,' mompelde ik bang en ging rechtop in bed zitten.

Er kwam nog een knal. O, had ik nu maar Jezus boven mijn bed gehad! Ik wilde net naar mama en papa rennen toen iemand fluisterend riep:
'Doe het raam nou open, jij lapzwans!'
Ik tuimelde mijn bed uit en vlóóg bijna naar het raam.

Daarbuiten stond Lena. Midden in de nacht.

'Ik dacht verdomme dat ik de ruit kapot moest gooien voor je het hoorde,' zei ze geïrriteerd toen ik opendeed.
Ik zei niets. Lena stond voor mijn raam met haar rugzak om en een gebreide muts op haar hoofd, en ik had haar in geen honderd jaar gezien, zo voelde het. Ze zei een poosje niets meer, net als ik. Ze keek alleen naar mij in mijn pyjama.
'Het is koud,' wist ze ten slotte uit te brengen.

Even later zaten we in de keuken en dronken lauw water. Dat was het stilste wat we konden bedenken. Lena had haar muts niet afgezet. Ze was al uren op de vlucht en zat te klappertanden van de kou.
'Ik kom in de hooischuur wonen,' zei ze.
'In de hooischuur? Onze hooischuur?'
Lena knikte. En toen ontsnapte er een snik uit haar. Ik zag hoe ze worstelde en worstelde om er vooral gewoon uit te zien. Een hele tijd zat ze zo, met een wonderlijke uitdrukking op haar gezicht, maar uiteindelijk kwamen de tranen toch. Ze huilde. Lena Lid, die nooit huilt!
'Lena,' zei ik en raakte heel even haar wang aan. Ik wist niet wat ik anders moest doen, voor hetzelfde geld zou ze gaan slaan of zo als ik haar echt ging troosten.

'Heb je een slaapzak, of heb je die niet?' vroeg ze nogal nors.
'Heb ik.'

Toen ik die nacht weer naar bed ging, was ik de enige die wist dat mijn beste vriend weer naar Knal-Mathilde was verhuisd. Ze lag in de hooischuur, gewikkeld in dekens, een slaapzak en hooi. En ook al is het griezelig om helemaal alleen buiten in een donkere hooischuur te liggen, ze sliep vast als een blok, want naast haar in het hooi lag het Jezus-schilderij.
Aan zoiets geheims had ik nog nooit meegedaan.
En zo blij was ik nog nooit geweest!

Botssleetje met dubbele hersenschudding en een vliegende kip

De volgende ochtend wist ik even niet meer wat er 's nachts was gebeurd. Maar blij voelde ik me wel. En toen ik het weer wist, dacht ik dat ik het gedroomd had. Ik sprong mijn bed uit. De wind was gaan liggen en de fjord lag er lichtblauw en spiegelglad bij. Alles was licht door de sneeuw, de zon en de zee – zo licht als ik nog nooit heb gezien.

Mama was aan de telefoon toen ik beneden kwam. Niemand merkte dat ik naar buiten holde. Ik huppelde omlaag naar de hooischuur. Het was zo koud dat je niet door de sneeuwkorst zakte, en mijn hart klopte zo licht dat ik volgens mij had kunnen vliegen als ik het probeerde.

Wanneer het buiten zulk mooi weer is, zie je overal in de hooischuur strepen zonlicht naar binnen vallen. Dan ziet het eruit als een kerk. Ik baande me een weg naar de hoek waar Lena was gaan liggen. Zo ver mogelijk weg van de deur, achter een hoop droog hooi. De slaapzak en dekens lagen er nog. Het Jezusschilderij ook. Maar Lena niet.

'Lena,' fluisterde ik angstig.
Stel je voor dat ik het toch had gedroomd?
'Hier!' zei ze toen.
Ik keek omhoog. Vlak onder het plafond, op de hoge balk, zat Lena. En toen sprong ze omlaag.

Ze viel en viel, en landde naast me in het hooi, zonder één enkel schrammetje. Ik lachte. Lena ook.
'Ik durf alles,' zei ze trots. 'Ik ben dit jaar van zoveel hoge dingen af gevallen dat het een gewoonte is geworden. O, ik barst van de honger!'

Ik liep van de hooischuur weer omhoog en wenste dat ik roerei kon maken. Dat zou nou echt iets moois zijn om aan iemand te geven die van huis was weggelopen. Opa was in de stal geweest en keek me een beetje verbaasd aan.
'Wat ben jij vrolijk, jongen!'
Ik kuchte even en zei: 'Je moet wel proberen te lachen als het zulk mooi weer is!'
Dit mocht zelfs opa niet te weten komen!

Mama was niet meer aan de telefoon. Zij en papa zaten aan tafel. De koffie stond te dampen, en de ochtendzon verlichtte de hele keuken.
'Olle, kom eens zitten,' zei mama.
Ik had geen zin, maar deed het toch. Mijn ouders keken me ernstig aan.
'Ik heb net met Lena's moeder gepraat. Lena was vanochtend vroeg niet in haar bed.'
Ik draaide aan mijn bord.

‘Weet jij waar ze is?’ vroeg papa.
‘Nee,’ zei ik en begon brood te smeren.
Het was een hele poos stil.
‘Olle,’ zei mama ten slotte. ‘Lena’s moeder is verschrikkelijk bang. Iedereen zoekt naar haar. Ook de politie. Weet jij waar ze is?’
‘Nee!’ riep ik en sloeg met mijn handen op tafel, want ik was nu zo kwaad dat ik een huis kort en klein had kunnen slaan! Niemand mocht Lena komen halen en terug naar de stad brengen! Al kwamen alle politieagenten van de hele wereld naar Knal-Mathilde, dan nog zou Lena niet weer vertrekken. Ik liep stampvoetend de keuken uit. Waren grote mensen maar nooit uitgevonden! Kinderen meeslepen van hot naar her, terwijl ze dat niet wilden!

Ik snapte dat ze naar haar zouden gaan zoeken. O, waarom moest alles zo moeilijk zijn! Was er dan nergens een veilige schuilplaats? In gedachten liep ik heel Knal-Mathilde door, en kon er niet één bedenken.
‘De hut,’ mompelde ik ten slotte in mezelf.
De hut moest het worden.

Ik begon noodzakelijke dingen in een plastic tasje te verzamelen toen niemand het zag. Lucifers, een brood, boter, dikke sokken, touw, een schop en de hutsleutels. Alles ging snel snel. Als laatste trok ik mijn slee tevoorschijn van zijn plek onder de trap en legde alles wat ik had verzameld erop, met een deken eroverheen. Nu ging het er alleen nog om Lena meegesmokkeld te krijgen!
‘Wat ben jij van plan, Olle?’ vroeg papa toen ik mijn gewatteerde pak aandeed.

'Ik heb zin om sleetje te gaan rijden!' antwoordde ik opgefokt. Toen liep ik omlaag naar de hooischuur. Ik zette het sleetje vlak voor de deur.

Lena had een van de kippen gehaald.
'Wat moet je daar nu mee?' vroeg ik en zag dat het Nr. 7 was. Lena vertelde dat ze niet van plan was om van de honger om te komen, echt niet! Dat beetje eten waar ik mee aankwam! Kippen legden tenminste af en toe een ei. Ik haalde mijn schouders op en vertelde haar alles. Lena's blik dwaalde even weg.
'Oké,' zei ze ten slotte. 'Ik ga in de hut wonen.'
Haar stem klonk dik en raar.
'Maar ze zullen ons zien wanneer we naar boven lopen, Olle,' vervolgde ze.
Ik knikte. De hellingen omhoog naar Heuvel-Jon waren helemaal kaal.
'Je moet ons trekken, er zit niks anders op,' glimlachte Lena, en hups, zij en Nr. 7 glipten onder de deken op het sleetje, samen met het brood, de boter en al het andere.
'En je moet er niet uitzien alsof het zwaar is, dan vinden ze het verdacht!' commandeerde mijn beste vriend.

Verdacht, verdacht, dacht ik. Ze vonden het vast allang verdacht. In elk geval opa. Hij zat op het balkon op de uitkijk toen ik het sleetje uit de hooischuur trok. Ik zette mijn tanden op elkaar, draaide het koord een extra keer om mijn hand en ging op weg.

Lena is niet groot, zoals gezegd. Maar er was iets geks aan de hand. Ik trok en trok, zodat het zweet van me af droop, en pro-

beerde eruit te zien alsof ik het lichtste sleetje ter wereld trok. Maar het was niet het lichtste sleetje ter wereld. Het was een van de zwaarste.
'Hup!' zei Lena nu en dan onder de deken.
Wat een mazzel dat er een korst op de sneeuw lag. Ik heb nog nooit zoiets gezien! Niet één spoor liet ik met de slee achter.

Helemaal omhoog naar Heuvel-Jon waren we nog nooit met de slee gegaan. Niet één enkele winter. We hadden nooit de puf. In elk geval Lena niet. Ze houdt alleen van heuvels omlaag en vindt dat we allang een sleelift in Knal-Mathilde hadden moeten bouwen. Bovendien ben je lang vóór je bij de gebouwen van Heuvel-Jon komt, hoog genoeg om te sleeën. Als het niet mijn eigen beste vriend was geweest, dan had ik het nooit getrokken. Maar Lena was teruggekomen! Ik moest er niet aan denken dat ze opnieuw uit mijn leven zou verdwijnen.

Nu en dan draaide ik me om om te zien of iemand ons volgde. Opa stond bij de hooischuur. Hij werd kleiner en kleiner hoe hoger wij kwamen. Ten slotte was hij nog maar een stipje. Toen ik eindelijk tegen de muur van het huis boven op de heuvels kon leunen, was hij zelfs bijna geen stipje meer.
'Lena, moet je kijken, wat een uitzicht!' hijgde ik.
'Ik zie het,' zei Lena terwijl ze haar hoofd onder de deken uitstak. Nr. 7 zat daar kwaad te kakelen.

Lena en ik keken van bovenaf neer op de baai – op Knal-Mathilde, ons koninkrijk. De zon was net achter de bergen verdwenen en kleurde de hele hemel achter de fjord roze. Er was geen rimpeltje op zee te zien. Uit de schoorsteen van ons huis

kwam rook. En ook al was het nog niet zo laat, de hemel had al een ster tevoorschijn getoverd.
'Waar denk jij aan?' vroeg ik, helemaal kapot, en vol van het uitzicht en grote gedachtes.
Lena steunde met haar hoofd in haar handen.
'Ik denk,' zei ze met een troebele stem, 'ik denk dat het een schande is.'
'Een schande?'
'Een schande, ja. Dat wij hier staan, helemaal boven op de heuvels, zo hoog als we nog nooit zijn geweest, en dat de sneeuwkorst waanzinnig goed is, en dat we een kip en een sleetje bij ons hebben, maar dat we niet kunnen sleeën!'
Het laatste riep ze uit.
Ik krabde me op mijn hoofd.
'Maar Lena, ga je niet in de hut wonen?'
Mijn knieën knikten van uitputting. Lena lag helemaal stil. De hele wereld was winterstil.

'Ik wil in Knal-Mathilde wonen!' zei Lena onder de deken, en het klonk alsof ze het serieus meende. 'En ik wil sleetje rijden,' voegde ze eraan toe en krabbelde resoluut overeind.
Voordat ik er een stokje voor had kunnen steken, had ze de slee omgedraaid zodat het brood en de boter in een hoopje op de sneeuw kwamen te liggen. Ze ging helemaal vooraan op de slee zitten, zodat er ook nog plek voor mij was. Lena en ik hadden deze winter nog niet één keer samen gesleed. We waren te verdrietig geweest.
'Ga nou zitten! Je wilt hier toch niet blijven staan nu je de slee de hele weg omhoog hebt gesleept? Bovendien moet iemand de kip vasthouden!'

Lena's ogen waren smal. Ik keek over de heuvels omlaag. De sneeuwkorst glom als ijs. Wie – als je teminste goed bij je hoofd was – zei er nou nee tegen zo'n rit? Met mijn ene hand pakte ik Lena stevig om haar middel beet, en met mijn andere drukte ik Nr. 7 tegen me aan.
'Jihaaa!' riepen we in koor.

'Die twee zijn nooit helemaal normaal geweest,' zei Magnus een paar dagen later toen Lena en ik alweer zoveel waard waren dat we aan tafel konden zitten om met de anderen mee te eten.
'Het werd sodeju wel tijd dat Olle eens een keer probeerde om hersenschudding te krijgen,' mompelde Lena dwars. Zelf begon ze eraan te wennen, beweerde ze. Ik glimlachte. Ik was blij, tot in het puntje van mijn kleine teen. Onze hersenschuddingen konden me niets schelen.
'Hoe was die sleetocht eigenlijk?' informeerde Minda geïnteresseerd. Ik haalde mijn schouders op. Lena en ik konden ons er allebei niets van herinneren.

Maar opa, die herinnerde het zich wel. Hij had bij de hooischuur gestaan en alles gezien.
'Nou, dat zal ik je eens haarfijn vertellen, Minda. Ze kregen zo'n sodekanonnen-rotvaart, als ik van mijn leven nog niet heb gezien!'
Lena kauwde bedachtzaam.
'Shit man, dat ik het me niet herinner!' zei ze kwaad. En toen kreeg ze opa zover dat hij zeker voor de tiende keer vertelde wat hij had gezien: hoe Lena en ik en Nr. 7 er daarboven bij Heu-

vel-Jon als een speer vandoor gingen, en dat hij 'nondedju' had gedacht, want hij zag dat we meer en meer vaart op de sneeuwkorst kregen. En dat hij de kip hoorde kakelen, en dat we 'jiha!' riepen tot we ongeveer halverwege kwamen. Toen werd de kip kakelloos, en begonnen Lena en ik 'wèèèh' te roepen in plaats van 'jiha' – en daar hadden we een goede reden voor. Want al hadden we niet eens een sneeuwbult gebouwd, we hadden zoveel vaart gehad dat de berg sneeuw langs de kant van de weg een soort springplank werd – goed genoeg om de hele grote weg over te springen.
'En daar vlogen ze, in een mooie boog: kleintjebuur regelrecht in de kop van de sneeuwpop van Krullie, Olle op zijn smoel in de heg, de kip naar de hemel en het sleetje – beng! – tegen de muur van het huis!' besloot opa en sloeg zijn handen in elkaar om eens goed te laten horen hoe de klap klonk.
'En toen kwam mama,' lachte Lena.
'Ja, toen kwam je moeder, kleintjebuur, en werd er orde op zaken gesteld.'

De anderen bleven maar praten, maar ik had genoeg aan mezelf en liep in mijn eentje blij te zijn. Lena was niet langer mijn buurtje. En ze zou het voorlopig ook niet zijn. Nee, ze was bij ons komen wonen. Zo zie je maar wat grote mensen allemaal kunnen regelen als ze maar willen! Ik had mama gevraagd of ze kon toveren.
'Ik en Lena's moeder kunnen allebei een beetje toveren,' had mama toen geantwoord. 'En nu hebben we zo getoverd dat Lena bij ons komt wonen tot aan de zomer, terwijl haar moeder de school afmaakt.'
'Simsalabim!' lachte Lena Lid.

Heuvel-Jon en Heuvel-merrie

Lena in hetzelfde huis als ik was bijna nog beter dan Lena als buurtje, ook al zou ik wel willen dat ze me het Jezus-schilderij teruggaf. Dat hing op haar kamer, boven het bed dat ze had gekregen.

'Je krijgt het wel een keer terug, Olle,' zei mama toen ik het haar vertelde. 'Misschien heeft Lena het schilderij nu nodig.'

'Ja maar ze is nu toch teruggverhuisd naar Knal-Mathilde en heeft het gewoon goed!' zei ik.

Toen legde mama uit dat Lena, ook al zei ze er niets van, haar moeder vast en zeker miste. Vooral 's avonds als ze naar bed ging.

'Maar dat zegt ze nooit!' protesteerde ik.

'Nee, maar zegt Lena zulke dingen anders wel, dan?' vroeg mama.

Ik dacht even na, en schudde mijn hoofd. Er zijn veel dingen die Lena meestal niet zegt.

'Ze heeft nooit gezegd dat ik haar beste vriend ben,' vertelde ik aan mama. 'Denk jij dat ik dat toch ben?'

Mama glimlachte.

'Ja, ik denk van wel.'

'Maar je kunt er niet helemaal zeker van zijn,' zei ik.

Nee, helemaal zeker kon je nooit zijn zolang ze het niet zei. Dat moest mama toegeven.

Zo heel erg ontevreden kon Lena nou ook weer niet zijn, volgens mij.
'Goed hè, dat ik hier ben komen wonen?' vroeg ze vaak met een brede glimlach.
'Ja, dat is mooi mazzel,' antwoordde opa dan. 'Olle en ik vonden het maar wat tam in Knal-Mathilde, die week dat we zonder jou zaten.'

Nu hadden Lena en ik 's middags zoveel lol met opa, dat we niet wisten hoe snel we thuis moesten komen van school. Op een dag toen we thuiskwamen en onze rugzakjes onder het balkon smeten, vroeg opa ons of we zin hadden om weer mee de heuvels op naar Heuvel-Jon te gaan. De sneeuw was verdwenen, dus we konden fietsen in plaats van sleeën.

Maar omhoog fietsen naar Heuvel-Jon samen met een 'piekfijn afgestelde' brommer was bijna even vermoeiend als Lena op het sleetje de hele weg omhoog trekken. Opa gaf plankgas en grijnsde ons toe, terwijl we hevig ons best deden hem bij te houden. Vanaf die dag noemden Lena en ik Heuvel-Jon Heuvelop-Jon.

Toen Heuvelop-Jon jong was, was hij zeeman en verloor bij een ongeluk zijn ene oog. Sindsdien liep hij rond met een zwarte zeeroverslap.
'Ik zie slechts de halve wereld, godzijdank,' zegt hij altijd.
Kinderen zijn vaak bang voor hem, vanwege die ooglap, maar

Lena en ik weten dat Heuvelop-Jon niet gevaarlijk is. Integendeel, er zijn een hoop dingen fijn aan hem, en het allerbest is Heuvel-merrie, zijn paard. 's Zomers staat ze boven aan de bosrand te eten, en 's winters staat ze in de stal te eten.
'Die merrie is zo wijs dat ze bijna psalmenverzen hinnikt,' beweert opa.

Toen we eindelijk boven aankwamen, gingen opa en Heuvelop-Jon op de trap zitten koffiedrinken, terwijl Lena en ik de stal in holden.
'Het is best een saai paard,' zei Lena terwijl ze haar hoofd schuin hield in het schemerdonker.
'Ze is wijs,' zei ik.
'Hoe weet jíj dat nou? Kun jij hinniken?'
Dat kon ik niet. Ik wist het gewoon, en dan is het zinloos om het aan Lena uit te leggen.

We bleven lang bij Heuvel-merrie. We streelden haar en praatten tegen haar, en Lena gaf haar een snoepje. Dit moest het beste paard van de hele wereld zijn, dat stond voor mij vast.
'Het paard heeft een snoepje gegeten,' vertelde ik toen we weer bij de brommer kwamen.
'Dat wordt dan wel het laatste snoepje dat ze eet,' zei opa en trok zijn helm strak aan.
'Hoe bedoel je?' vroeg ik verbaasd, maar toen had opa zijn brommer al gestart en hoorde niets meer.

Toen we thuiskwamen en hij eindelijk stopte, rende ik naar hem toe en greep zijn hand beet.
'Hoezo 'laatste snoepje'?'

Opa bromde een beetje, maar toen vertelde hij dat Heuvelop-Jon zo oud was dat hij naar het bejaardenhuis moest, en Heuvel-merrie zelf zo oud was dat niemand haar wilde hebben.
'Oud worden, daar is eigenlijk geen zak aan,' mompelde opa nijdig en smeet de deur voor mijn neus dicht.
'Wat gaan ze met Heuvel-merrie doen, dan?' riep ik door de gesloten deur.
Opa gaf geen antwoord. Hij zat binnen en was boos omdat mensen en paarden en opa's oud worden. Maar Lena gaf antwoord. Luid en duidelijk.
'Er bestaan geen bejaardenhuizen voor paarden. Ze wordt geslacht, snap dat dan.'
Ik staarde Lena een hele poos aan.
'Dat mogen ze niet doen!' gilde ik ten slotte, net zo hard als zij altijd doet.

En dat zei ik tegen mama. Ik huilde en zei dat ze paarden die zo wijs waren als Heuvel-merrie niet mochten doodmaken. En ik riep naar papa dat ze het niet mochten doen.
'Moch-nie,' zei Krullie ernstig.
'Lieve Olle, we sturen elk jaar schapen weg voor de slacht zonder dat jij je er zo druk om maakt!' zei mama en probeerde mijn tranen weg te vegen.
'Heuvel-merrie is geen schaap!'
Ze begrepen ook niets!

De dag daarna kon ik alleen maar aan Heuvel-merrie denken, het lieve paard dat nog nooit een vlieg kwaad had gedaan, maar dat toch dood zou gaan. Tijdens de rekenles was ik bijna in tranen. Om je rot te schamen! Ik keek naar Lena. Ze zat uit het

raam te kijken. Er bestaan geen bejaardenhuizen voor paarden, had ze gezegd. Plotseling ging ik rechtop staan zodat mijn stoel omviel.
'Ellisiv, Lena en ik moeten de rest van de dag vrij hebben,' zei ik gestrest.
Lena had geen idee waar ik het over had. Toch smeet ze haar rekenboek resoluut in haar rugzak en zei met een ernstig gezicht:
'Het is een zaak van leven of dood!'

En terwijl Ellisiv en de anderen ons verbaasd aankeken, stormden Lena en ik de klas uit met onze rugzakjes halfopen.
'Stond je kont in brand of zo?' hijgde Lena toen we, op weg naar huis, in het bos waren aangekomen.
'We gaan een bejaardenhuis voor paarden beginnen!' riep ik vol enthousiasme.
Lena stopte plotseling. Behalve wat vogelgefluit en ons gehap naar adem was het helemaal stil. Ik keek haar angstig aan. Misschien stond het idee haar niet aan? Maar toen klonk het stralend van blijdschap:
'Jee, wat ongelooflijk goed dat je dat precies in de rekenles hebt bedacht, Olle!'

Opa was de enige die thuis was. Dat kwam goed uit. Hij was ook de enige die een helpende hand kon bieden. Ik ging naast hem zitten onder het balkon.
'We kunnen Heuvel-merrie in de oude stal zetten, opa. Daar kan ze wonen! Wat zal Heuvelop-Jon blij worden als hij haar niet naar het slachthuis hoeft te sturen! Ik zal het gras maaien en harken en hooien, en op haar passen en haar graan geven, en Lena kan me helpen. Ja hè, Lena?'

Lena haalde haar schouders op. Ze kon nog altijd een handje helpen met dat oude paard. Ik snapte dat ze blij was vanwege de rekenles.
'En misschien kun jij ook een handje helpen, opa?' vroeg ik smekend, ik durfde mijn opa bijna niet aan te kijken. Opa wreef zich een tijdje over zijn knieën met zijn bruine, gerimpelde handen en keek bedachtzaam uit over de zee.
'Jij kunt bijvoorbeeld de volwassene zijn van wie het mag?' zei ik, nog iets smekender.
Het was heel moeilijk om zoiets te vragen. Ik voelde dat de tranen alweer op weg waren, en vocht ertegen. Opa keek me lang aan.
'Ach ja, wat geeft het. Hoezo zouden Ollebol en kleintjebuur niet voor een paard kunnen zorgen?' zei hij ten slotte.

Er waren twee redenen dat we dit keer in de brommerkist mochten zitten, zei opa. De ene was dat we bij Heuvelop-Jon moesten zien te komen vóór hij Heuvel-merrie met de slachtauto meestuurde. De andere was dat we bij Heuvelop-Jon moesten komen vóór opa zich nog zou bedenken.
'Want ik denk dat ik mijn verstand verloren heb.'

Daarboven op het erf stond opa ineens op zijn remmen. Er stond al een auto. Het was die van Vera Johansen. Heuvelop-Jon is haar oom. Ze hielp hem met inpakken en de was doen voor hij naar het bejaardenhuis zou gaan. Heuvelop-Jon zelf zat op een stoel en zag er verloren uit. Opa stak zijn handen in de zakken van zijn overall en begroette zijn beste vriend rustig.
'Ollebol heeft iets wat hij je wil vragen,' zei hij met een kuchje en gaf mij een zetje.

'Ik,' fluisterde ik, 'ik vroeg me alleen af of ik Heuvel-merrie van je kan krijgen. We gaan een bejaardenhuis voor paarden beginnen, Lena, opa en ik...'
Het was muis- en muisstil, ik durfde Heuvelop-Jon nauwelijks aan te kijken. Hij streek even over zijn gezonde oog.
'God zegene je, mijn jong,' zei hij. 'Maar de merrie is twintig minuten geleden met de pont weggevaren.'

Toen ik voor Heuvelop-Jon stond en in zijn trieste oog keek, dacht ik dat ik nooit meer blij zou kunnen worden, net als op de dag dat Lena vertrok. Maar hier wás ze, die Lena:
'Hallo? Gaan we nu nog een bejaardenhuis beginnen?' Geïrriteerd trok ze me aan mijn jack. 'Zo snel gaat dat toch niet, een paard afmaken?'
En toen holde ze naar buiten. Opa en ik konden maar één ding doen: haar volgen. Terwijl we de brommer startten, kwam Heuvelop-Jon strompelend naar buiten. Vanaf zijn trapje zwaaide hij naar ons en op zijn gezicht stonden allerlei gevoelens te lezen.
'Rijen, opa! Rij als een gek!' riep ik.

En opa reed. Voor de allereerste keer in mijn leven snapte ik waarom mama niet wil dat we in die kist gaan zitten. Zelfs Lena zag er een beetje bang uit toen het de heuvels af ging. Het ging zo snel en hobbelde zo verschrikkelijk dat ik drie keer in mijn tong beet. Toch ging het nog niet snel genoeg.
'Hou vol! De pont heeft de slagboom al neergelaten!' riep ik.
'Kom terug, sukkelpont!' riep Lena.
We sprongen uit de kist en zwaaiden met onze armen.

De kapitein zag ons, en misschien zag hij dat opa ook even zwaaide, want hij kwam terug. De pont bonkte tegen de kade, en matroos Birger liet ons aan boord. Papa had lunchpauze en was nergens te zien.
'Misschien is het beter dat je niet tegen papa zegt dat wij hier nu zijn,' zei ik tegen matroos Birger.
'Waarom niet?' vroeg hij.
'Het is een verrassing,' zei Lena. 'Hij is jarig,' voegde ze eraan toe.
Matroos Birger keek opa aan, en opa knikte ernstig.
'Ja, gedraag je netjes, het jochie wordt vandaag vierenveertig,' zei hij en gaf Birger een flinke pets op zijn rug zodat zijn kaartjestas flink door elkaar rammelde. Verbijsterd keek ik naar opa en Lena. Papa was helemaal niet jarig!
'Af en toe een verhaaltje uit je mouw schudden, dat is gezond, Ollebol,' zei opa. 'En dit is alleen maar fijn voor je papa, misschien dat matroos Birger wel taart en cadeautjes gaat versieren.'

Ik geloof dat het nog nooit zó lang heeft geduurd om in de stad te komen. Ik stond de hele tocht over de oprit van de boot te turen en vond dat we geen steek dichterbij kwamen. Maar met elke seconde die tikte, kwam Heuvel-merrie wel dichter bij het slachthuis.
'We redden het nooit,' zei ik. 'O, ik wou dat ik overboord kon springen en verder zwemmen.'
'Als je hier midden in de fjord plonst zonder reddingsvest, dan haal je het in elk geval niet!' wist Lena me te vertellen.
Opa keek op zijn horloge.

Toen we eindelijk aankwamen, reed opa nog harder, maar hij

gooide de wollen deken over mij en Lena heen zodat niemand ons zou zien. Vooral de politie niet. Ik lag te denken aan alle verboden dingen die we deze dag hadden gedaan: gespijbeld van de rekenles, gelogen tegen matroos Birger, zonder toestemming een bejaardenhuis begonnen en in de brommerkist gezeten, de heuvels af en de stad door. Om te janken. Maar toen zag ik heuvel-Merrie voor me.
'Lieve god, zorg dat we het halen!'

'Wacht hier,' zei opa streng toen we aankwamen.
En toen stampte hij naar binnen, in overall en op klompen. Lena en ik bleven midden op een grote parkeerplaats staan. Hier stuurden we de schapen dus elke herfst naar toe, dacht ik en kreeg een beetje pijn in mijn buik. We konden hier geen geluiden horen.
'Misschien is ze al bijna rookvlees,' zei Lena na een poosje. 'Klaar voor op je brood.'
'Hou op!' mompelde ik kwaad.
Maar Heuvel-merrie was bijna een heel uur eerder dan wij aangekomen. Ze leefde vast niet meer. Waarom kwam opa alsmaar niet naar buiten? Vond hij het te moeilijk om aan mij te vertellen? Ik probeerde ze tegen te houden, maar kreeg toch tranen in mijn ogen. Lena schopte met haar schoen tegen het asfalt en deed alsof ze het niet zag.

Toen ging de deur open, en opa kwam eindelijk naar buiten – zonder heuvel-Merrie.
'O nee hè!' riep ik.
'Kalm kalm, Ollebol. Ik kon haar toch niet door hun kantoor leiden, we moeten haar aan de andere kant ophalen.'

Dus we hadden het toch gehaald, maar dat was wel allemachtig op het laatste nippertje, zoals opa zei. Plotseling stond ik daar met mijn eigen paard op een giga-parkeerplaats. Nooit geweten dat je zo blij kon worden!

We waren vast een wonderlijke optocht, toen we weer door de stad sjokten. Opa voorop op de brommer, ik erachter met Heuvel-merrie aan een touw, en als laatste Lena, die elke keer dat Heuvel-merrie leek te gaan poepen verslag deed. Heuvel-merrie poepte niet voordat we aankwamen bij de rij voor de pont. Daar gingen we achter een zwarte Mercedes staan – eerst opa op de brommer, toen ik met het paard en als laatste Lena. 'Nu poept ze, en niet zo'n beetje ook!' riep Lena opgetogen. Mensen keken ons raar aan, en ik was blij dat ik zo'n verstandig en lief paard had weten te vinden dat heel kalm bleef staan, anders was er vast opschudding ontstaan.

Die opschudding kwam er trouwens vrij snel, want inmiddels had papa geen lunchpauze meer. Hij stond op de boeg toen de pont aanlegde. En toen hij ons in het oog kreeg, deed hij zijn mond zo wijd open dat ik al vanaf het land zijn verstandskiezen kon zien. Hij raakte helemaal van de wijs en vergat prompt om de Mercedes en andere auto's te gebaren aan boord te komen. Ze startten evengoed, en we volgden ze richting papa die midden op het dek stond met een verjaardagskroon die uit zijn broekzak stak. Eerst bromde de Mercedes voorbij, toen kwam opa eraan pruttelen, toen sjokten Heuvel-merrie en ik aan boord zonder dat ik papa durfde aan te kijken, en daarna kwam Lena met een innige glimlach. Ze is gek op opschudding.

Papa verkocht eerst de Mercedes een kaartje, om even tot zichzelf te komen. En toen kwam hij bij opa op de brommer. Hij had een knalrood hoofd en hij had ongetwijfeld een heel toespraakje in petto. Maar opa klauterde van de brommer af, trok zijn portemonnee te voorschijn en zei:
'Eén keer 65+, twee kinderen en een paard, alsjeblieft.'
'En hartelijk gefeliciteerd met je verjaardag!' voegde Lena eraan toe.

Diezelfde dag zei papa dat hij lang vóór zijn tijd gepensioneerd zou worden dankzij ons, maar dat gaf niets, vond Lena, er was best plek voor hem in het bejaardenhuis, geen probleem. Ook al was het vooral voor paarden bestemd.

Lena en ik spelen Tweede-Wereldoorlogje

Zomaar een paard aanschaffen, dat gaat niet, zei mama, ook al was dat precies wat ik nou net had gedaan. Zij en papa waren best wel kwaad. Was opa niet medeplichtig geweest, dan hadden we heel de Heuvel-merrie met kop en staart moeten terugbezorgen geloof ik, maar dat bleef ons bespaard. Opa regelde het. En ook al deden ze alsof het niet zo was, na een poosje merkte ik dat mijn ouders het een heel lief en prima paard vonden dat in de oude stal stond.

Het leven ging weer zijn gewone gangetje. Nog even en het was maart. Ik was inmiddels gewend aan het paard en aan Lena. In de weekenden reisde Lena af naar haar moeder in de stad, en door de week kwam haar moeder vaak 's middags op bezoek in Knal-Mathilde. Bijna elke dag dacht ik eraan hoe blij ik was dat ze niet echt was verhuisd. Het was heerlijk om niet eenzaam en treurig te hoeven zijn! Lange tijd liep er ook helemaal niets uit de hand. Na het Heuvel-merrie-gebeuren gedroegen we ons wekenlang als twee engeltjes, Lena en ik.
'Je zou er bijna nerveus van worden,' zei papa op een dag aan

tafel. 'Zo'n rust is niet normaal in Knal-Mathilde.'
Ik weet het niet zeker, maar het kwam vast door die opmerking dat Lena zo'n schitterend idee kreeg toen we na het middageten de tafel afruimden. Plotseling stopte ze, bleef staan en keek naar onze radio.
'We gaan hem begraven, Olle.'
'De radio begraven?'
'Ja, zoals tante-oma vertelde,' zei Lena. 'We begraven hem en spelen dat het oorlog is.'

Het was fijn om iets te doen wat tante-oma had verteld. Daar was ze vast blij mee, op haar plekje in de hemel. Toch was het zo verschrikkelijk verboden dat het overal prikte, in mijn hele lijf. Maar, zei Lena, dat was alleen maar goed. Zo kwamen we er echt achter hoe het in de oorlog was, en het was best handig om dat te leren. Plotseling waren alle andere mensen in Knal-Mathilde Duitsers, zonder dat ze het zelf wisten. Lena en ik waren de enige Noren, en slopen rond als twee spionnen.
'Ze sturen ons naar Rimi als we worden ontdekt,' zei Lena. We groeven een kuil naast de kippenren. Het was hard werken, maar op het laatst werd hij groot en diep. Zo groot en diep dat we besloten alle radio's van Knal-Mathilde te verzamelen.
Mensen hebben tegenwoordig veel meer radio's dan ze hadden toen tante-oma jong was. Zo was er de radio op de badkamer, de stereo-installatie in de huiskamer, de zakradio bij Magnus, Minda's cd-speler met radio en opa's oude, grote radio.
'Hoei,' zei ik een paar keer achter elkaar, toen we overzicht hadden gekregen.
'Het zijn er wel een beetje veel, ja, maar het is zinloos om zo'n grote kuil te hebben als we hem niet helemaal opvullen,' besliste Lena.

In oorlog zijn we kennelijk behoorlijk goed, Lena en ik, want we kregen álle radio's te pakken zonder te worden ontdekt. Het werd een gigantische verzameling. Zelfs de grote stereo-installatie in de huiskamer wisten we naar de kuil te verslepen zonder dat iemand het merkte.
'Zullen we ze nu gaan begraven?' zei Lena toen we de zakradio van Magnus als laatste omlaag hadden laten vallen.
'Gaan ze dan niet kapot?' vroeg ik.
Lena vond dat de radio's wel tegen een stootje moesten kunnen, als ze het ook in de oorlog hadden gedaan toen alles zo ellendig was. We legden er een vuilniszak bovenop en daarop weer wat aarde. En toen renden we weg om de Duitsers te bespioneren.

Eerst zaten we achter de keukendeur en keken naar mama, die zich rot zocht naar haar radio. Daarna gingen we een kijkje nemen bij opa die zich midden in de kamer op zijn hoofd stond te krabben.
'Is er iets, opa?' vroeg ik onschuldig.
'Ik begin seniel te worden, Ollebol. Ik meen me duidelijk te herinneren dat ik hier vanochtend nog een radio had staan, maar nu is hij weg. En wie zou dat gammele apparaat nou hebben verplaatst, als ik het niet zelf heb gedaan?'
Lena verdween vliegensvlug. Toen ik haar terugvond, lag ze achter de stal te rollen van het lachen.

Maar het duurde niet lang of de Duitsers begonnen samen te smoezen. Mama smoesde met opa, opa smoesde met Minda, Minda smoesde met Magnus, en Magnus smoesde met papa. Aan het eind van het liedje stonden ze allemaal in onze keuken

te smoezen over de verdwenen radio's. Lena en ik zaten op de zoldertrap te luisteren.
'Denk je dat ze ons ervan gaan verdenken?' fluisterde Lena.
'Ja, eigenlijk wel,' mompelde ik eerlijk.

We besloten om te vluchten. Dat deden ze toen het oorlog was, ze trokken naar Zweden en werden vluchtelingen. We moesten haast maken, want inmiddels waren de Duitsers naar ons op zoek.
'Er zou een prijs op jouw hoofd moeten staan, Olle!' hoorde ik Magnus ergens roepen, niet zo vreselijk ver weg.

'We nemen Heuvel-merrie!' fluisterde ik.
Dat Lena en ik het klaarspeelden om in de oude stal en op het paard te komen zonder dat iemand het merkte, mag een wonder heten.
'Het vluchten zit ons in het bloed,' zei Lena toen we op de paardenrug zonder zadel zaten. Ik hield me stevig vast aan de manen. Lena hield mij stevig vast en zei 'hup!'.

We namen de korte weg die we ook met de brommer hadden gereden toen de Balthasar-bende achter ons aan zat. Het ging niet bar snel, ook al riep Lena onophoudelijk 'hup hup'. Heuvel-merrie is geen rijpaard, om het op een mooie manier te zeggen. Ze is een Heuvel-merrie.
'Jé, wat een shitpaard,' klaagde Lena geïrriteerd.
'We moeten ergens dekking zoeken!'
'We gaan naar Heuvelop-Jon,' zei ik. 'Dat is niet ver weg, en dan kunnen we zien hoe hij het nu heeft.'

Het bejaardenhuis was in diepe rust toen we aankwamen. Lena keek naar het grote huis en vond het als twee druppels water op Zweden lijken. Ze was één keer in Zweden geweest, toen ze twee jaar was.
'Zullen we Heuvel-merrie hier vastleggen?' vroeg ze en wees op een wegwijzer.

Meestal wanneer Lena en ik in het bejaardenhuis zijn, zijn we er met onze klas en gaan we optreden. Om hier maar met ons tweeën te zijn, zonder blokfluiten, was ongewoon. Maar we vonden de huiskamer waar Heuvelop-Jon met zijn ene oog uit het raam zat te kijken. Hij verlangde naar zijn heuvels, geloof ik.
'Kuch es,' zei Lena luid.

Heuvelop-Jon was blij verrast om ons te zien. Ik probeerde hem zo goed als ik kon uit te leggen over de radio's en de Duitsers en alles, en hij begreep het. Maar er waren meer mensen in de huiskamer, en sommigen van hen begrepen het iets te goed. Bijvoorbeeld een oude dame die Anna heet. Ze dacht dat het nu nog steeds oorlog was en dat de Duitsers echt achter Lena en mij aanzaten.

Voor we het wisten, stonden Lena en ik in haar kleerkast tussen rokken en blouses. Ze zette er een stoel voor en nam plaats om de wacht te houden.
'Hier komt niet één levende Duitser langs!' riep Anna.
Lena en ik trouwens ook niet, want we konden er niet uit. Ik voelde dat ik het vertrouwen in die hele oorlog van ons een beetje begon te verliezen, maar Lena gniffelde tevreden in het donker.

'Nee, er is niemand in de kleerkast!' riep Anna na een poosje bars. Ik perste me helemaal tegen de deur zodat er een kiertje ontstond, en keek naar buiten. Papa, opa, Minda en Magnus waren Anna's kamer binnengekomen. Nu baande Heuvelop-Jon zich een weg langs hen heen en pakte een banaan van haar nachtkastje. Hij deed alsof het een pistool was. Dat zag er zo gek uit dat Lena en ik allebei begonnen te lachen. Iedereen lachte trouwens, behalve Anna. Ze zag er de lol niet van in, en verdedigde ons zo goed als ze kon. Pas toen papa wegliep naar de huiskamer en aan de piano ging zitten om een walsje te spelen, vergat ze ons even en liet Lena en mij uit de kast ontsnappen. Opa vroeg haar namelijk ten dans.
'Hoe hebben jullie ons gevonden?' vroeg ik.
'Gek hè, maar als er een paard voor een bejaardenhuis staat, dan voel je dat je warm bent,' zei papa uit zijn hum, vanaf de pianokruk.
'Je kunt dat dier ook nergens goed parkeren,' antwoordde Lena nors.
Maar Heuvelop-Jon sperde zijn oog open.
'Hebben jullie Heuvel-merrie bij je, gezegende kinderen van me?'
Ik geloof niet dat ik een oude man ooit zo blij heb zien worden.

We bleven die avond nog heel lang in het bejaardenhuis. En toen we gingen, beloofde ik om vaak met Heuvel-merrie op bezoek te komen. Maar eerst stuurde mama Lena en mij naar Grini. We moesten drie hele middagen stenen van de grond rapen, daar waar dit jaar de koolakker zou komen.

De brand

Het begon te groen te worden en de lente was in aantocht. Elke ochtend stond ik in mijn raam naar buiten te kijken, en ik voelde het aan mijn hele lijf: het was bijna lente.
Op een middag namen Lena en ik Krullie met ons mee om het haar te laten zien. We liepen eerst naar de stal.
'Nog even en dan komen er lammetjes uit de billen van de schapen,' vertelde Lena, terwijl ik mijn lievelingsschaap over haar kop streelde. Ze was zo dik als een opgeblazen zwembal.
Krullie grijnsde en gaf haar een beetje hooi.
'En dan wordt het gras groen, en kunnen we de lammetjes buiten loslaten in de wei. Weet je nog van vorig jaar, Krullie?'
'Jep,' zei Krullie, maar volgens mij loog ze.

Daarna liepen we de tuin in, tot onder de perenboom. Sneeuwklokjes waren er nog niet, maar al wijzend vertelde ik waar ze naar boven zouden ploppen.
'Misschien komen ze over een week wel?' zei ik, en Krullie beloofde om op te letten.
Het is fijn om een grote broer te zijn. We vertelden Krullie van alles over de lente.

'En op het laatst wordt het weer midzomer,' legde ik uit. 'En dan gaan we een groot vuur op het strand maken.'
'Dan gaat opa mest sproeien!' lachte Krullie.
Dat wist ze nog wel.
'Maar wie zal het bruidspaar zijn?' zei ik meer tegen mezelf dan de rest en voelde een steek door me heen gaan.
Tante-oma was hier niet meer.
'Wij twee in elk geval niet,' zei Lena direct.

Opa zat onder het balkon met zijn visnetten. Krullie vertelde hem dat we buiten naar de lente waren gaan kijken.
'Ja, de lente komt vast wel, maar vanavond wordt het guur weer, wat ik je brom,' zei opa en kneep zijn ogen een beetje dicht terwijl hij in de verte over de fjord keek. Het was stikkedonker aan de overkant. Gek om in Knal-Mathilde lekker in de zon te staan, en te zien dat het ergens anders regende!

Het duurde trouwens niet lang voor het ook in onze baai stortregende. We haastten ons naar binnen en deden de rest van de dag binnendingen. Toen we naar bed gingen, was het gaan donderen en bliksemen. Lang lag ik naar de knallen te luisteren. Diep vanbinnen wou ik dat ik bij Lena naar binnen kon sluipen en het Jezusschilderij van de muur kon wegkapen. Stel je voor: zij lag daar en hoefde nergens bang voor te zijn, terwijl ik hier wel bang lag te zijn, en het schilderij eigenlijk van míj was! Op het laatst knalde het zo hevig dat ik het niet langer uithield in bed. Ik stond op om naar mama en papa te gaan, alleen om te vragen of zo'n geknal wel normaal was.

In de gang stond Lena.
'Ben je bang?' vroeg ze gauw toen ik mijn kamer uitkwam.
Ik haalde mijn schouders op.
'Jij?'
Lena schudde haar hoofd. En toen voelde ik dat ik kwaad werd. Zij had míjn Jezus-schilderij, en bovendien was ik ervan overtuigd dat ze stond te bluffen.
'Dat ben je heus wel! Wat sta je hier anders in de gang te doen?' vroeg ik.
Lena legde haar handen over elkaar op haar borst – patsboem.
'Ik ben op weg naar buiten.'
'Naar buiten?'
'Naar buiten, ja. Ik ga op het balkon slapen, dan kan ik die scheetknallen tenminste echt goed horen!'
Het begon te prikken vanbinnen, maar voor mijn knieën de kans kregen om te gaan knikken, zei ik:
'Ik ook!'

Mamma mia, wat was ik bang! Ook al kon je het aan Lena niet zien, ik ben ervan overtuigd dat zij ook bang was, net zo goed. Dat kon niet anders. Het donderde zó dat het balkon helemaal schudde. We waren binnen een paar minuten kletsnat, ook al was het balkon overdekt en zaten we goed ingepakt in onze slaapzakken. Af en toe ging er een zigzagbliksemstraal door de hemel, en werd alles zo licht alsof het midden op de dag was. De regen kwam met bakken uit de hemel en het onweer knalde erop los, dus het was niet normaal, zo griezelig. Ik had nog nooit zulke sterke donders meegemaakt. Elke knal die kwam, was harder dan de vorige. Op het laatst legde ik mijn handen op mijn oren en kneep mijn ogen dicht. Ik was zo bang dat ik

totaal de kluts kwijt raakte. Lena zat als een boegbeeld naast me. Haar mond was een streepje. En plotseling snapte ik dat ze naar haar moeder verlangde. Ik liet mijn handen zakken. Arme Lena! Ik wilde net iets gaan zeggen, toen het bijna op hetzelfde moment bliksemde en donderde tegelijk. De lichtflits en de knal waren zo sterk dat Lena en ik in elkaar krompen en onze gezichten in de slaapzakken boorden.
'We zijn gek!' riep ik. 'We moeten naar binnen gaan, Lena!'
Lena gaf geen antwoord. Ze was opgestaan.
'Olle, de oude stal staat in brand!'
Ik schudde de slaapzak van me af en krabbelde overeind. Brand!
'Heuvel-merrie!' riep ik en rende weg.
Achter me hoorde ik dat Lena iets het huis in brulde, zoals alleen zij kan brullen, en toen brulde ze naar mij:
'Olle, niet naar binnen gaan daar!'
Maar ik luisterde niet naar haar. Het bliksemde en regende, de stal stond in brand en Heuvel-merrie stond daar. Ik moest haar eruit zien te krijgen. Alleen het dak had pas vlam gevat. Ik rukte de deur open. Er was overal rook, maar ik wist precies waar ze stond.
'Sjjj, sjjj,' zei ik en greep haar manen. 'Kom maar, mijn paardje.'
Ze bleef staan waar ze stond. Stokstijf stil. Ik streelde haar, praatte en trok, maar Heuvel-merrie bleef staan. Ze bewoog zich niet. Het leek wel alsof ze daarbinnen wilde verbranden. Snapte ze niet dat ze naar buiten moest? Ik begon te huilen.
'Kom nou!' riep ik, en trok zo hard aan haar manen als ik maar kon. Het paard trapte om zich heen, maar verzette geen stap. Ademhalen werd moeilijker, en ik voelde dat de paniek bijna toesloeg.

Toen kwam Lena. Door de rook. Ze greep mijn bovenarm zo stevig beet dat het pijn deed, en wilde mij eruit trekken net zoals ik aan Heuvel-merrie trok.
'Het paard!' jammerde ik, en kon niets meer zien.
'Kom naar buiten, Olle! Het dak stort in!' Lena's stem klonk kwaad.
'Het paard. Ze wil niet van haar plaats,' huilde ik en stond net zo stil als Heuvel-merrie.
Toen liet Lena mijn hand los.
'Dat paard is zo stom als een rund!' riep ze, daarna ging ze vlak bij het oor van Heuvel-merrie staan en was even heel stil. Je hoorde het vuur knapperen en knetteren.
'Boe!' brulde Lena plotseling.
Toen galoppeerde Heuvel-merrie met een rotvaart naar buiten, en ik verloor mijn evenwicht en kukelde achterover. Lena was al bijna buiten toen ze het merkte.
'Olle!' riep ze bang en draaide zich bliksemsnel om. Plotseling viel er een brandend stuk balk uit het plafond.
'Olle!' riep Lena weer.
Ik kon geen woord uitbrengen. Ik voelde me net als Heuvelmerrie – stijf van schrik. De brandende balk lag tussen de deur en mij.
Toen was ze er. Het lukte Lena om over de balk heen te springen, als een kangoeroetje. Haar dunne vingers boorden zich weer in mijn bovenarm. Ze pakte me stevig vast en gooide me zo ongeveer naar de uitgang. Ja, volgens mij gooide ze me. Ik sleepte mezelf het laatste stukje naar de open staldeur toe. Het volgende wat ik me herinner was dat mijn wang in nat gras lag, en dat sterke handen me helemaal de stal uit droegen.

Mijn hele familie stond buiten in de regen, en overal werd geroepen en gebruld.
'Lena,' fluisterde ik, ik kon haar nergens bespeuren. Mama hield me vast.
'Lena is in de stal!' riep ik en probeerde los te komen. Maar mama liet me niet los. Ik schopte en riep en huilde, maar kwam niet los. Ten slotte zat er niets anders op dan hulpeloos naar de open deur te kijken. Lena was daarbinnen! Lena was midden in de brand...

Toen kwam opa aan waggelen uit de vlammen, met een grote bult in zijn handen. Hij zakte uitgeput op zijn knieën en legde Lena naast zich neer in het gras.

Ziekenhuizen. Ik vind ze maar niks. Maar ze maken er mensen gezond. Nu stond ik hier, helemaal alleen voor een witte deur, en ging op ziekenbezoek. Ik klopte aan. Onder mijn arm hield ik een bonbondoos. Ik had alle bonbons stuk voor stuk vervangen door melkchocolaatjes.
'Kom binnen!' werd er luid geroepen, alsof er daarbinnen een heel gemengd koor was.

Lena zat in bed de *Donald Duck* te lezen. Ze had een wit verband om haar hoofd, en haar haar was weggeschoren. In de brand was het voor een deel verbrand. En ze had veel rook ingeademd. Verder was Lena helemaal in orde. Alles was goed afgelopen. En toch was het waanzinnig goed om haar te zien.
'Hoi,' zei ik en gaf haar de bonbondoos.

Lena fronste haar neus, en ik vertelde gauw dat er melkchocolaatjes in zaten.
'Wil je aardbeienjam hebben?' vroeg ze.
Natuurlijk wilde ik dat. Lena had een hele voorraad met kuipjes aardbeienjam in haar la. Ze kreeg er net zoveel als ze wilde, vertelde ze. We aten een poosje aardbeienjam en melkchocolaatjes, terwijl ik Lena vroeg of ze hoofdpijn had, en van die dingen die je aan zieke mensen vraagt. Lena had niet erg veel pijn. Ze wilde het liefst naar huis. Maar in het ziekenhuis zeiden ze dat ze nog een dag of twee moest blijven, zodat ze haar een beetje in de gaten konden houden.
'Ja, dat is vast nodig,' zei ik. Ik begreep het ziekenhuis wel.
Boven haar bed hing mijn Jezus-schilderij.

'Eh Lena,' mompelde ik even later.
'Mhm?'
'Nog bedankt dat je me hebt gered.'
Ze gaf geen antwoord.
'Dat was dapper.'
'Ach,' zei Lena en keek opzij. 'Moest ik wel doen.'
En ik dacht: moest, moest, wat nou moest. Maar voor ik verder kon denken, voegde Lena eraan toe:
'Ik wilde nou ook weer liever niet dat mijn beste vriend zou verbranden.'

Ik kon een hele poos geen woord uitbrengen.
'Beste vriend...' zei ik ten slotte. 'Ben ik jouw beste vriend, Lena?'
Lena keek me raar aan.
'Ja natuurlijk! Wie anders? Kai-Tommy soms?'

Het was net alsof er ergens in mijn buik een grote steen smolt. Ik had een beste vriend! Lena zat daar, recht voor mijn neus, kaal en in het verband, en likte aardbeienjam uit het zoveelste kuipje. Ze had geen idee hoe blij ze me zojuist had gemaakt!

'Ik denk dat mijn knieën vanaf nu veel en veel minder gaan knikken,' glimlachte ik.
Dat moest Lena nog maar eens zien.
'Maar je was wel dapper, zoals je achter Heuvel-merrie aanging, dat stomme paard,' gaf ze toe. 'En trouwens, Olle, ik heb iemand gevraagd om met me te trouwen,' vervolgde ze.
'Te trouwen? Wie dan?'

Toen vertelde Lena dat ze eerder die dag zogenaamd had liggen slapen in het ziekenhuisbed, terwijl haar moeder en Isak ieder aan één kant van haar zaten en op haar letten. Ze praatten over liefde, over Lena en over Knal-Mathilde. Lena begreep dat Isak er eigenlijk niets op tegen had om in Knal-Mathilde te wonen, als het nodig was. Hij had gehoord dat de kelder wel opgeruimd kon worden, zo zei hij.
'Maar ze bleven eromheen draaien, Olle!' vertelde Lena. Dus ten slotte deed ik mijn ogen patsboem open.
'En toen?' vroeg ik gespannen.
'En toen zei ik: Isak wil je met ons trouwen?'
'Echt waar? En, wat zei hij toen?'
Lena keek me weer raar aan.
'Hij zei *ja*, natuurlijk!'
Toen stopte ze een stukje melkchocola in haar mond en gniffelde tevreden.
'Dan krijg je een papa, Lena!' riep ik blij uit.

Het midzomerbruidspaar

Alles was kant en klaar die dag dat het weer midzomer werd. En ik stond in het wijd open raam op mijn kamer en keek uit over het koninkrijk. Dat zulke dagen bestonden! Met zon en zee en pasgemaaide weilanden.
'Lena! We moeten naar buiten!'

En ook al was het vandaag bruiloft en een hoop heisa, Lena en ik maakten dat we wegkwamen, de zon in. We liepen toch alleen maar hopeloos in de weg. We konden beter een wedstrijdje hardlopen door de weilanden.
'Slomerik, Olle,' hijgde Lena toen we precies tegelijk beneden op het strand aankwamen.
Ik dacht slomerik, wat nou slomerik, maar ik zei het niet. En toen namen we een duik, en gooiden – *kletsj* – zeewier tegen de muur van het botenhuis. Niets kletst namelijk zo lekker als zeewier. Daarna sprongen we over de keien helemaal naar oom Tor, en daar sloop Lena aan boord van de bark en stak een paardenbloem in het sleutelgat van de kajuit. De vaarzen liepen buiten.
'Denk je dat je op koeien kunt rijden?' vroeg Lena.

Dat kon, ontdekten we. Lena vond dat we best wat meer gokjes konden wagen nu we een eigen dokter in de baai hadden gekregen. En ook al hadden we oom Tor beloofd dat we nooit meer zijn vaarzen zouden lenen zonder zijn toestemming, we deden het toch. En alles ging zoals het altijd gaat. Denderend verkeerd.

Maar 's avonds zat Lena, schoon en bepleisterd, klaar voor de koeienmest. Ze had zelfs een jurk aan, want het was midzomerfeest én bruiloft, en er bestonden nu even geen grenzen voor waar ze aan meedeed.

'Ja,' zei Isak toen de dominee vroeg of hij met Lena's moeder wilde trouwen.
'Ja,' zei Lena's moeder toen de dominee het aan haar vroeg.
En Lena, zij liet een luid en daverend giga-ja horen, ook al vroeg niemand het haar, want er was nooit iets van deze bruiloft gekomen zonder al haar hersenschuddingen.

Het strandvuur brandde vredig. Het was een zachte, warme zomeravond, en op ons strand waren meer mensen en muziek dan er ooit waren geweest.
'Vind je dat de bruid dit jaar mooier is dan vorig jaar?' vroeg opa mij later op de avond.
Hij zat in zijn zondagse pak met een koffiekop in zijn hand op een kei, een stukje verder weg dan de anderen.
'Een beetje misschien,' gaf ik eerlijk toe, want Lena's moeder was het mooiste wat ik ooit had gezien.
'Hm,' zei opa, en deed alsof hij beledigd was.
'Mis je tante-oma vandaag?' vroeg ik.

‘Een beetje misschien,’ antwoordde opa en draaide zijn koffiekopje rond tussen zijn vingers.
Ik stond een poosje naar hem te kijken en kreeg het gevoel dat mijn hart ter plekke groeide en bijna te groot werd voor mijn borstkas. Ik zou opa liefst alle goeds van de hele wereld willen geven. En ineens wist ik wat ik moest doen. Stilletjes sloop ik weg van het strand naar huis.

Opa’s verdieping was schemerdonker en vredig. Ik klauterde op het aanrecht en rekte me zo ver uit als ik kon. Helemaal bovenaan, op de top van de keukenkast stond het: het wafelijzer van tante-oma. Ik tilde het ervan af en liet het even in mijn handen liggen. Toen liep ik naar opa’s slaapkamer. In zijn godsdienstboek lag een gekreukeld, vergeeld papiertje. ‘Wafelharten’ stond er bovenaan, in een ouwedameshandschrift. Zo heetten ze, de wafels van tante-oma.

Ik ben niet zo’n held in bakken, maar ik volgde het recept van A tot Z, en algauw had ik een grote kom met beslag. Net toen ik wilde gaan bakken, werd de deur met een knal wijd opengeslagen.
‘Wat doe jij in hemelsnaam hier?’ Lena keek me achterdochtig aan.
Toen viel haar oog op het wafelijzer.
‘Oei…’
‘Misschien moet je maar weer terug naar het strand gaan,’ zei ik aarzelend, ook al wilde ik niets liever dan dat Lena zou blijven. ‘Je moeder trouwt namelijk niet elke dag.’
Lena staarde naar het wafelijzer.
‘Dat speelt mama best zelf klaar,’ verklaarde ze en leunde tegen de buitendeur zodat die dicht knalde.

Ik zal die nacht dat Lena en ik 'Wafelharten' voor opa maakten terwijl een echt midzomerbruidspaar hun bruiloft op het strand vierde, nooit vergeten. We zaten op het aanrecht, ieder aan een kant van het wafelijzer, en zeiden bijna niets. We hoorden de muziek en de vrolijke stemmen in de verte gonzen – precies genoeg achtergrondgeluid. Ik schepte steeds beslag op het ijzer en Lena haalde er wafelharten uit.
'Je krijgt je schilderij nog terug,' zei Lena plotseling. Ik raakte helemaal van slag en schepte wat beslag naast het wafelijzer.
'Dankjewel,' zei ik blij.

Toen we bijna alles hadden gebakken, kwam opa. Hij was helemaal beduusd toen hij ons in de gaten kreeg. En nóg beduusder toen hij zag wat we aan het doen waren.
'Verassing!' riep Lena zo hard dat het behang bijna losliet van de muur.

En toen aten we 'Wafelharten', opa, Lena en ik, voor de eerste keer sinds de dood van tante-oma. Ik weet zeker dat ze in de hemel zat te glimlachen. Opa glimlachte ook.
'Ollebol en kleintjebuur,' zei hij zacht, een paar keer, en schudde knus zijn hoofd.
Na zeven wafels viel hij in slaap in zijn stoel. Hij is niet gewend om zo lang op te blijven. Lena en ik legden een deken over hem heen en slopen weg. We klauterden in de cipres. Op het strand was het bruiloftsfeest nog volop aan de gang. We konden de mensen daarbeneden nauwelijks onderscheiden, in de lichte nacht.

'Nu heb je ook een papa, Lena,' zei ik.
'Ja, shit zeg!' glimlachte ze tevreden en propte het laatste wafelhart naar binnen.

En ik heb een beste vriend, dacht ik gelukkig.

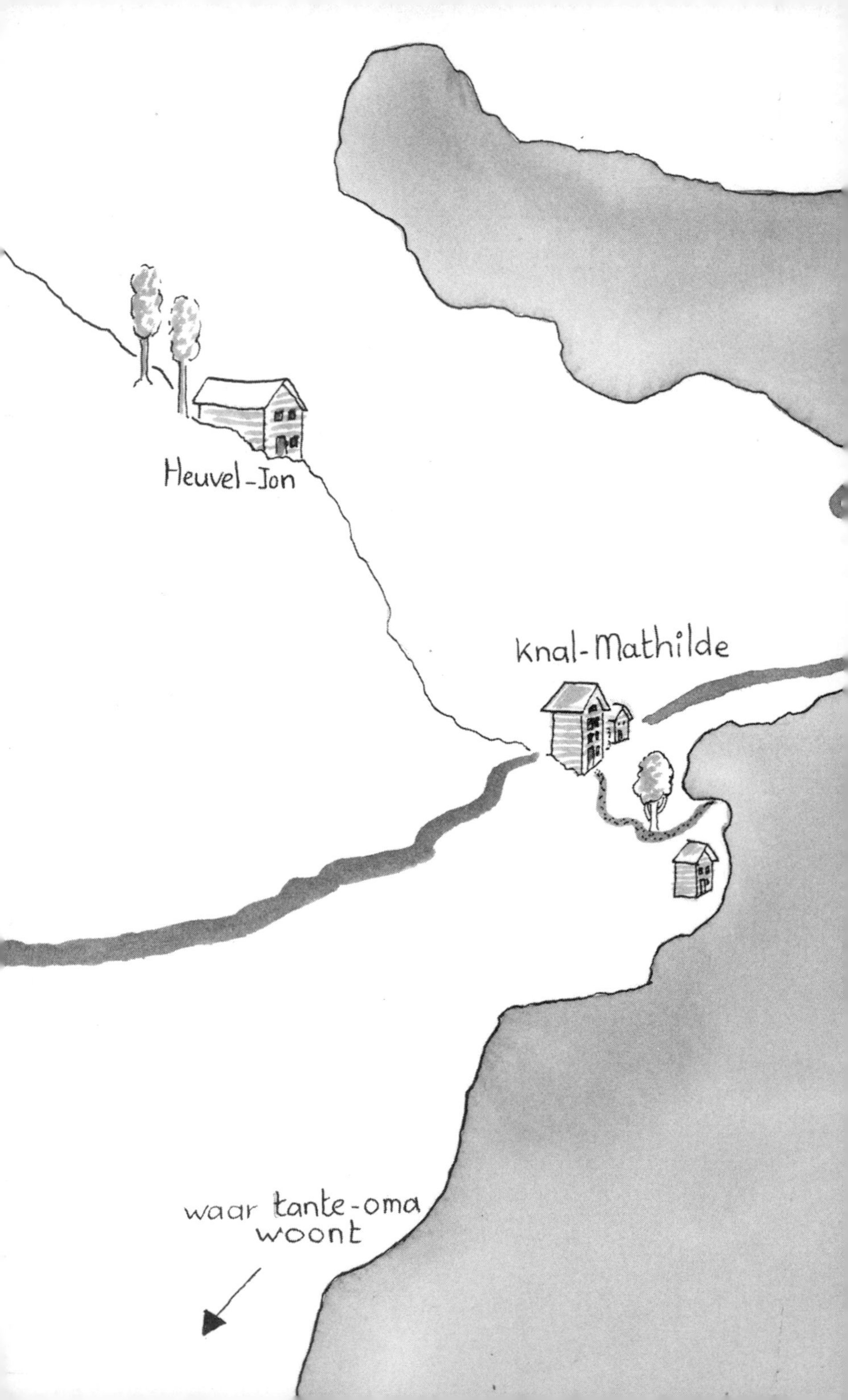
Heuvel-Jon
Knal-Mathilde
waar tante-oma
woont